prima plus+

Deutsch für Jugendliche

Friederike Jin · Lutz Rohrmann

A1.2

Arbeitsbuch

 Deine interaktiven Gratis-Übungen findest du hier:

1. Gehe auf scook.de.
2. Gib den unten stehenden Zugangscode in die Box ein.
3. Hab viel Spaß mit deinen Gratis-Übungen.

Dein Zugangscode auf
www.scook.de | **4ar8t-uarwz**

A1.2 | Deutsch für Jugendliche

Im Auftrag des Verlages erarbeitet von
Friederike Jin und Lutz Rohrmann

Redaktion: Lutz Rohrmann, Joachim Becker, Dagmar Garve

Beratende Mitwirkung: Roberto Alvarez, Michael Dahms, Katrina Griffin, Thomas Lewandowsky, Milena Zbranková

Illustrationen: Laurent Lalo
Bildredaktion: Katharina Hoppe-Brill

Layoutkonzept: Agentur Rosendahl, Berlin
Technische Umsetzung: zweiband.media, Berlin
Umschlaggestaltung: Rosendahl Berlin, Agentur für Markendesign

Im Lernmittel wird in Form von Symbolen auf eine CD verwiesen, die dem Arbeitsbuch beigefügt ist. Diese enthält – bis auf die Hörverstehensübungen – ausschließlich optionale Unterrichtsmaterialien. Die CD unterliegt nicht dem staatlichen Zulassungsverfahren.

www.cornelsen.de

2. Auflage, 5. Druck 2020

Alle Drucke dieser Auflage sind inhaltlich unverändert
und können im Unterricht nebeneinander verwendet werden.

Druck und Bindung: Livonia Print, Riga

ISBN: 978-3-06-120640-6

PEFC zertifiziert
Dieses Produkt stammt aus nachhaltig
bewirtschafteten Wäldern und kontrollierten
Quellen.

www.pefc.de

PEFC/12-31-006

Inhalt

4 Hier gibt es eine Audioaufnahme.

⊕ Hier gibt es Zusatzübungen auf der Arbeitsbuch-CD.

🎲 Hier schreibst du Texte für dein Portfolio.

1 Unsere Zimmer

a Was findest du in diesem Zimmer? Schreib die Wörter mit Artikel und Pluralform.

Kuckuck, kuckuck!!!

1. *das Bett, –en*
2. _____
3. _____
4. _____
5. _____
6. _____
7. _____
8. _____
9. _____
10. _____
11. _____
12. _____

b Hör zu und markiere in 1a den Wortakzent.

c Was siehst du noch im Zimmer?
Notiere Wörter mit Artikel und Pluralform.
Markiere den Wortakzent.

die Katze, –n , der Vogel, "–

d Englisch und Deutsch – Was passt zusammen?

table · garden · mouse · computer · book · bed · cd · lamp · poster · music · house · dvd	der Tisch · der Computer · der Garten · das Bett · die Lampe · das Buch · die Maus · die CD · die DVD · die Musik · das Poster · das Haus

garden – der Garten

2 Wo ist was?

Schreib Sätze zu den Bildern 1–8.

1

2

3

4

5

6

7

8

Ich hänge an der Lampe.

~~der Fußball~~	liegen	am Fenster
die DVDs	stehen	an der Wand
der Kaktus	hängen	auf dem Boden
die Kleider		im Regal
die Lampe		an der Decke
das Buch		unter dem Bett
das Handy		~~unter dem Schreibtisch~~
das Poster		zwischen dem Papierkorb und dem Stuhl

1. Der Fußball liegt unter dem Schreibtisch.

2. Die DVDs

3 Hören üben

3 **a Hör zu und markiere. Welches Wort ist betont?**

1. Nein, das Buch steht auf dem Tisch.

2. Nein, das Buch liegt unter dem Tisch.

3. Nein, das Buch liegt auf dem Stuhl.

4. Nein, das Heft liegt auf dem Tisch.

4 **b Hör die Fragen 1–4. Welcher Antwort aus 3a passt zu den Fragen?**

c Hör noch einmal und sprich die Antwort laut.

Frage a) – Antwort: _____   Frage b) – Antwort: _____

Frage c) – Antwort: _____   Frage d) – Antwort: _____

4 Präpositionen trainieren

a Schreib die passenden Präposition zum Bild.

an _____ _____ _____ _____ _____ _____ _____ _____

b Mias Zimmer – Ergänze die Präpositionen im Text.

an – an – auf – auf – in – unter – unter – vor – vor – zwischen – zwischen – zwischen

Ich heiße Mia und bin 13 Jahre alt. Das ist mein Zimmer. Rechts (1) _____ der Wand sieht
man meinen Sessel. (2) _____ dem Bett und dem Fenster steht mein Schreibtisch.
Vorne links (3) _____ Wand steht mein Schrank und hinten links steht ein Regal
(4) _____ dem Regal sind meine Bücher, Schulsachen und Spiele. (5) _____ dem
Regal steht ein Papierkorb und (6) _____ dem Fenster steht mein Rucksack. (7) _____
dem Regal und dem Schreibtisch liegt ein Teppich (8) _____ dem Boden. (9) _____
meinem Schreibtisch steht ein Stuhl. (10) _____ dem Schreibtisch stehen mein Laptop und ein
paar Schulbücher. (11) _____ meinem Bett liegt noch meine Gitarre. Man sieht sie nicht.
(12) _____ dem Schrank und dem Regal sieht man eine Tür. Sie geht zum Zimmer von
meinem Bruder. Mein Zimmer ist klein, aber ich mag es.

c Sieh das Foto und den Text noch einmal an und beantworte die Fragen.

1. Wo steht Mias Lampe?   *Sie steht auf dem Schreibtisch.* _____

2. Wo steht Mias Sessel?   *Er* _____

3. Wie viele Bilder hängen an der Wand?   _____

4. Hat Mia einen Fernseher im Zimmer?   _____

5. Wo steht der Kaktus?   _____

6. Wie findet Mia ihr Zimmer?   _____

♪ **5** Phonetik: *b/p*, *g/k* und *d/t*

a Das weiche *b* und das harte *p* – Was hörst du? Hör zu und kreuze an.

	b	p			b	p			b	p
ich schrei·be	☐	☐		halb acht	☐	☐		die Blu·me	☐	☐
du schreibst	☐	☐		bas·teln	☐	☐		die Pau·se	☐	☐
ne·ben	☐	☐		ar·bei·ten	☐	☐		sie·ben	☐	☐
pri·ma	☐	☐		braun	☐	☐		sieb·zig	☐	☐

b *g/k* und *d/t* – Was hörst du? Hör zu und kreuze an.

	g	k			g	k			g	k
die Gi·tar·re	☐	☐		ich lie·ge	☐	☐		ak·tiv	☐	☐
das Kla·vier	☐	☐		es liegt	☐	☐		mon·tags	☐	☐

	d	t			d	t			d	t
den·ken	☐	☐		das Bild	☐	☐		ro·man·tisch	☐	☐
tan·zen	☐	☐		die Bil·der	☐	☐		ein Hund	☐	☐

6 Ist der Kuli im Bett?

Mia beschreibt ihr Zimmer. Notiere die sechs Unterschiede zum Bild auf Seite 6.
Schreib wie im Beispiel.

1. In der Beschreibung *hat Mia einen Hund. Im Bild sieht man keinen Hund.*

2. In der Beschreibung _____

3. In der Beschreibung _____

4. In der Beschreibung _____

5. In der Beschreibung _____

6. In der Beschreibung _____

7 Räum dein Zimmer auf!

Du hörst zwei Dialoge. Zu jedem Dialog gibt es zwei Aufgaben.

Dialog 1

1. Mia sucht ...
a ihr Deutschbuch.
b ihr Deutschheft.

2. Ihre Mutter findet es ...
a im Papierkorb.
b im Regal.

Dialog 2

1. Mias Mutter sucht ...
a ihre Brille.
b ihre Sonnenbrille.

2. Mia findet sie ...
a unter dem Sessel.
b neben dem Fernseher.

8 Anweisungen und Bitten

Schreib die Anweisungen und Bitten.

1. du: den Schrank aufräumen   *Räum*   bitte _____ !

2. du: die Zeitung kaufen   _____ bitte _____ !

3. ihr: die Musik leise machen   _____ bitte _____ !

4. du: nach Hause kommen   _____ bitte _____ !

5. ihr: die Wörter wiederholen   _____ bitte _____ !

6. du: den Text laut lesen   _____ bitte _____ !

9 Was musst du zu Hause tun?

a Ergänze die Formen von *müssen*.

ich/er/es/sie/man _____ du _____ wir/sie/Sie _____ ihr _____

b Schreib die Sätze.

1. ich / jeden Tag um sechs / aufstehen / müssen / .   *Ich muss* _____
2. wann / du / den Aufsatz / schreiben / müssen / ?   _____
3. ihr / den Text / genau / lesen / müssen / .   _____
4. wir / samstags / nicht arbeiten / müssen / .   _____

10 Das ist mein Zimmer.

a Zwei Sprichwörter – Ordne die Teile zu. Welches Bild passt jeweils?

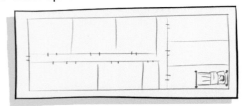   

1. Hat dein Haus auch tausend Zimmer,   a) vor seiner eigenen Tür.

2. Jeder kehrt   b) zum Schlafen brauchst du nur eins.

b Beschreib dein Zimmer: Wie groß ist es? Wo ist was?

11 Stimmungen – Adjektive wiederholen

a Diese Adjektive kennst du aus prima^plus°. Ordne sie in Gruppen.

Es gibt zum Teil mehrere Möglichkeiten. Vergleiche in der Klasse.

alt – billig – blöd – böse – braun – einfach – gelb – grau – groß – grün – interessant – kaputt –
klein – lang – langweilig – leise – lieb – nett – neu – ~~rund~~ – ~~rot~~ – ruhig – schick – schön –
schwach – schwarz – schwer – stark – sympathisch – toll – teuer – weiß – wild

Farben/Formen ⬤△	Sachen 🚲🖩	Personen/Tiere 👤🐈
rot, rund	billig	

b Viele Adjektive kann man gut in Paaren lernen.
Wie viele Paare findest du?

alt – neu

c Kennst du noch weitere Adjektive, die in die Tabelle in 11a passen?

12 Traumzimmer – Schreibtraining

a Im Text sind 10 Fehler: 5 x groß/klein und 5 x f/ff, mm/m, ss/s, tt/t.

Ich heiße Zoe und wohne in Bern in der schweiz. Mein Traummzimmer hat zwei fenster. Es ist sehr
gemütlich. Die Wände sind blau und gelb. Das Zimmer hat kein Bet, ich schlafe auf dem Boden. In
meinem Zimmer sind ein Sofa und zwei Sesel. zwischen dem Soffa und den Seseln steht ein Tisch. Ich
habe auch einen Schrank für meine Kleider. der Schrank ist grün. In dem Zimmer wohnen ich, meine
Katze und mein Vogel. Ich habe viele Pflanzen, denn ich mag pflanzen. An der Wand hängen mein
Fernseher und mein Poster.

b Schreib einen Text über dein Traumzimmer und male ein Bild dazu.

Leseecke

Schau den Cartoon an und ordne die Sprechblasen zu.

1. Wie bitte???
2. Chaostheorie: die Relativität von Ordnung und Chaos.
3. Projekt? Schule? Physik? Wie?
4. Was ist denn hier los? Räum bitte dein Zimmer auf. Das ist ja furchtbar! Das totale Chaos!
5. Wieso furchtbar? Chaos ist richtig. Ich mache ein Projekt für die Schule. Physik.

Meine Ecke

a Finde die Reimwörter. Einige musst du im Wörterbuch nachschlagen.

nett Wand Stuhl fliegen Tisch
Bett frisch egal Ecke
Besuch Decke Haus Zimmer
cool Sekunde
liegen immer Strand Stunde
Gespenster Fisch
aus Fenster Buch
Maus Regal

b Schreib Reimsätze.

| Stuhl – cool | Auf dem Stuhl sitze ich cool. |

Mach die Übungen. Kontrolliere im Schlüssel auf Seite 79 und kreuze an:

☺ das kann ich gut   😐 das kann ich einigermaßen   ☹ das muss ich noch üben.

1 Ein Zimmer beschreiben   **Ergänze den Text.**

Links st__ __ __ mein Be__ __ und rec__ __ __ mein Sch__ __ __ __.
Im Sch__ __ __ __ sind me__ __ __ Kleider. Me__ __ Schreibtisch st__ __ __ unter d__ __
Fenster. A__ __ dem Schrei__ __ __ __ __ __ steht me__ __ Laptop. Ne__ __ __ dem
Schrei__ __ __ __ __ __ steht me__ __ Sessel.

2 Über Tätigkeiten zu Hause sprechen   **Schreib Sätze wie im Beispiel.**

der Rasen / mähen / manchmal   *Ich muss manchmal den Rasen mähen.*
1. mein Schreibtisch / aufräumen / oft   _____
2. das Zimmer / sauber machen / fast nie   _____
3. mein Bett / machen / jeden Tag   _____

3 Anweisungen geben   **Schreib die Anweisungen.**

einkaufen gehen (ihr)   *Geht bitte einkaufen!*
1. leise sprechen (ihr)   _____
2. den Satz wiederholen (du)   _____
3. deinen Schreibtisch aufräumen (du) _____

4 Eine Zimmerbeschreibung verstehen   **Hör zu. Welches Foto passt?**

5 Gefühle benennen   **Schreib die passenden Adjektive zu den Bildern.**

| ütwend | tivak | ohrf | aromtinsch | aurtrig | üdme |

1. _____ 2. _____ 3. _____ 4. _____ 5. _____ 6. _____

Seite 5

der Sessel, – . . . .

das Zimmer, – . . . .

das Poster, – . . . .

das Fenster, – . . . .

das Bett, -en . . . .

der Schrank, "-e . . . .

der Schreibtisch, -e . . . .

das Notebook, -s . . . .

die Tür, -en . . . .

die Lampe, -n . . . .

der Stuhl, "-e . . . .

das Regal, -e . . . .

der Papierkorb, "-e . . . .

der Teppich, -e . . . .

Seite 6

der Boden, "- . . . .

die Couch, -(e)s . . . .

die Wand, "-e . . . .

der Tisch, -e . . . .

hängen . . . .

die Decke, -n . . . .

Seite 7

liegen . . . .

die Kiste, -n . . . .

Seite 8

das Papier, -e . . . .

dort . . . .

· Ich bin dran. . . . .

Seite 9

ordentlich . . . .

schön . . . .

hell . . . .

gemütlich . . . .

leise . . . .

laut . . . .

· Gib mir mal bitte
  dein Handy. . . . .

*auf*räumen . . . .

· Räum bitte auf. . . . .

Seite 10

schlafen, schläft . . . .

· früh schlafen gehen . . . .

füttern . . . .

die Küche, -n . . . .

sauber . . . .

müssen, muss . . . .

waschen . . . .

· Wäsche waschen . . . .

die Farbe, -n . . . .

wild . . . .

hassen . . . .

traurig . . . .

froh . . . .

wütend . . . .

romantisch . . . .

Seite 11

ruhig . . . .

aktiv . . . .

der Quadratmeter, – . . . .

das Sofa, -s . . . .

die Pflanze, -n . . . .

der Fernseher, – . . . .

der Meter, – . . . .

der Bildschirm, -e . . . .

die Musikanlage, -n . . . .

der Lautsprecher, – . . . .

die Größe, -n . . . .

die Möbel (nur Pl.) . . . .

das Gerät, -e . . . .

die Blume, -n . . . .

das Bild, -er . . . .

denn . . . .

Einige lokale Präpositionen

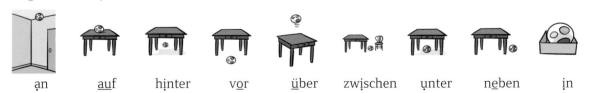

an   auf   hinter   vor   über   zwischen   unter   neben   in

1 Was kennst du? Was isst du gern?

10

a Hör die Wörter und schreib sie ins Bild. Ergänze den Artikel, den Wortakzent und die Pluralform, wo das möglich ist.

1 *die Milch, nur Sg.*

b Was essen Deutsche zum Frühstück, zum Mittagessen, zum Abendessen? Und du?

Deutsche	ich	Deutsche	ich	Deutsche	ich
Brot					

c Indefiniter Artikel oder kein Artikel? Ergänze.

1. Möchtest du gerne *ein* Ei zum Frühstück? – Ja gerne, ich liebe __X__ Eier.

2. Ich mag _____ Tee nicht, ich trinke gern _____ Kaffee.

3. Möchtest du gerne _____ Saft oder lieber _____ Milch?

4. Isst du gerne _____ Gemüse? – Ja, aber ich esse auch gerne _____ Fleisch.

5. Kennst du _____ Quark? – Wir essen zu Hause oft _____ mit _____ Kartoffeln.

6. Isst du gerne _____ Äpfel? – Ja, ich esse jeden Mittag _____ Apfel.

7. Ich koche gerne _____ Spaghetti mit Tomatensoße.

8. Sind die Nudeln fertig? – Du kannst ja mal _____ Nudel probieren.

2 Interviews in der Klasse

a Wiederholung Konjugation von *essen* und *mögen*. Ergänze die Sätze.

1. ● Carla und Til, _____ (mögen) ihr Käse?

   ▪ Carla _____ (mögen) Käse. Sie _____ (essen) gerne Camembert.

   Ich _____ (mögen) lieber Wurst.

2. ● Was _____ (essen) Sie am liebsten, Frau Schneider?

   ▪ Ich _____ (essen) am liebsten Obst, Gemüse und Salat.

3. ● _____ (essen) du oft Kartoffeln?

   ▪ Nein, Kartoffeln _____ (mögen) ich nicht.

   Ich _____ (essen) oft Reis oder Nudeln.

4. ● Die meisten in unserer Klasse _____ (essen) gerne Süßigkeiten.

   ▪ Ich _____ (mögen) keine Süßigkeiten, ich _____ (essen) gerne Äpfel.

5. ● Carla und Til, _____ (mögen) ihr Milch?

   ▪ Ja, wir _____ (mögen) Milch, am liebsten mit Kakao.

11 **b** Hören üben: Hör zu und unterstreiche die betonten Wörter.

1. Wurst mag ich nicht, ich esse lieber Käse.

2. Quark kenne ich nicht, aber ich kenne Joghurt.

3. Spaghetti mit Käse mag ich gerne.

4. Fleisch esse ich nicht, ich esse gerne Fisch.

c Hör noch einmal und sprich nach.

3 Frühstück, Mittagessen, Abendessen

a Ergänze die Sätze.

gerne – lieber – lieber – lieber – am liebsten – Lieblings… – mag

1. Reis esse ich nicht so _____, ich esse _____ Nudeln.

2. Möchtest du _____ Cola oder Tee?

3. Tee _____ ich nicht. Ich nehme _____ eine Cola.

4. Ich esse gerne Obst, _____ mag ich Ananas.

5. Ich koche heute mein _____essen. Ich esse am liebsten …

b Was passt? Ordne zu und schreib die Fragen.

1. Was isst du   a) das Essen?
2. Was trinkst du morgens   b) einkaufen?
3. Was trinkst du lieber,   c) du in der Pause?
4. Was isst   d) kochen?
5. Wer macht in deiner Familie   e) Lieblingsessen?
6. Kannst du   f) nicht?
7. Isst du gerne   g) Süßigkeiten?
8. Findest du Essen   h) Tee, Kakao oder Saft?
9. Musst du manchmal   i) wichtig oder unwichtig?
10. Was magst du   j) am liebsten zum Abendessen?
11. Was ist dein   k) zum Frühstück?

Was isst du am liebsten zum Abendessen?

c Wortstellung: Beantworte die Fragen von 3b auf Seite 13. Schreib die Sätze in die Tabelle.

Position 2: Verb		
1. *Zum Abendessen*	*esse*	*ich ...*
2.		
3.		
4.		
5.		
6.		
7.		
8.		
9.		
10.		
11.		

d Schreib einen Text über deine Essgewohnheiten. Die Fragen von 3b helfen dir.

4 Schulkantine

12 **Schreib den Dialog und hör zur Kontrolle.**

● Ich gehe essen, kommst du mit?

■ …

● Ehm, heute ist Donnerstag –
Bohnensuppe mit Würstchen.

■ …

● Ja, die esse ich gerne, du nicht?

■ …

● Auch Bohnensuppe – mit Tofu-Würstchen.

■ …

● Schokoladenpudding.

■ …

● Ich gehe essen, kommst du mit?

■ Was haben ...

■ Magst du Bohnensuppe?

■ Mhm, den mag ich. Ich komme mit und esse Salat und Schokopudding.

■ Nein, Bohnen mag ich überhaupt nicht. Und vegetarisch, was haben sie da?

■ Oh nein! Und zum Nachtisch?

■ Was haben sie denn heute?

5 Phonetik: Das lange O und das lange U

13 **Hör zu und markiere. Sind die Vokale o und u lang _ oder kurz . ?**

das Buch – der Hund – die Gummibärchen – die Butter – gut – keine Lust
kochen – das Obst – rot – die Cola – der Vogel – die Kartoffel – die Woche

6 Zusammengesetzte Nomen

a Ergänze den Artikel.

die Kartoffel	der Salat	_____ Kartoffelsalat
die Nudel	die Suppe	_____ Nudelsuppe
der Käse	die Soße	_____ Käsesoße
der Curry	die Wurst	_____ Currywurst
die Marmelade	das Brötchen	_____ Marmeladenbrötchen

14 **b** Hör zu, sprich nach und markiere den Wortakzent. Jedes Wort hat nur einen Akzent.

7 Spezialitäten in (D) (A) (CH)

a Sag es anders. Schreib die Sätze 1–6 mit *man*.

1. Viele Deutsche essen gerne Kartoffeln.
2. In China essen die Leute gerne Reis.
3. Auf der ganzen Welt kennen und lieben viele Leute die Sachertorte.
4. Die Österreicher sagen „Semmel", die Schweizer „Weggli" und die Berliner „Schrippe".
5. Das Wort „Pizza" verstehen die Leute in der ganzen Welt.
6. In meiner Stadt essen die Leute gerne …

> In Deutschland isst man gerne Kartoffeln.
>
> In China …

b Ergänze die Sätze.

esse – esse – haben wir – heißt – isst – macht – mag

Ich komme aus Frankfurt. In Frankfurt _____ eine Spezialität. Die _____ „Grüne Soße". Die Soße _____ man aus Quark, Joghurt und Mayonnaise und vielen Kräutern. Man _____ sie zusammen mit Eiern oder Fleisch und Kartoffeln. Manchmal gibt es „Grüne Soße" in der Schulkantine. Dann _____ ich sie auch, aber ich _____ lieber Pizza. Am liebsten _____ ich Pizza „Hawaii".

 c Schreib einen Text über Spezialitäten in deiner Region.

> Bei uns in Rio isst man gerne Feijoada.
>
> In der Feijoada sind Bohnen und Fleisch. …

8 Essen bei uns – Eine E-Mail schreiben

a Ergänze diese Satzzeichen in der E-Mail: . . . . ? ? ! ! : ,

Neue Mail	⇨ **Senden**

Lieber Kofi ,

wie geht es dir Mir geht es gut

Heute schicke ich ein Foto von meinem Lieblingsessen eine Pizza von meinem Vater Er kann sehr gut

Pizza backen Er macht die Pizza immer mit Krabben Das schmeckt gut

Was isst du gerne Schreib mir mal

Liebe Grüße

Lena

b Antworte Lena.

9 Am Imbiss

Hör zu und kreuze an. Richtig ☐R☐ oder falsch ☐F☐.

15 **Dialog 1**

a) Sie möchten zwei Pommes ohne Ketchup. ☐R☐ ☐F☐

b) Sie möchten Cola trinken. ☐R☐ ☐F☐

c) Das kostet 7,50 Euro. ☐R☐ ☐F☐

16 **Dialog 2**

a) Der Kunde möchte eine Gulaschsuppe mit Brot. ☐R☐ ☐F☐

b) Der Verkäufer hat kein Mineralwasser. ☐R☐ ☐F☐

c) Der Kunde trinkt einen Apfelsaft. ☐R☐ ☐F☐

10 Ja – nein – doch

a Lies die Fragen. Was passt? Kreuze an.

	ja	nein	doch			ja	nein	doch
1. Magst du Pommes?	x	x	☐		5. Trinkst du keine Cola?	☐	x	x
2. Isst du nicht gerne Gemüse?	☐	☐	☐		6. Magst du Apfelkuchen?	☐	☐	☐
3. Kennst du keinen Quark?	☐	☐	☐		7. Kennst du Müsli nicht?	☐	☐	☐
4. Trinkst du gerne Tee?	☐	☐	☐		8. Frühstückst du nicht?	☐	☐	☐

17 **b** Hör zu und antworte immer positiv mit *ja* oder mit *doch*.

1. Doch, ich kann Fahrrad fahren.

11 Hören üben

18 Was hörst du: ☐a☐ oder ☐b☐?

1. ☐a☐ Ketchup oder Mayo? ☐b☐ Ketchup und Mayo.

2. ☐a☐ Was möchtest du trinken? ☐b☐ Was möchtest du essen?

3. ☐a☐ Das macht 3,50 Euro. ☐b☐ Das macht 2,50 Euro.

4. ☐a☐ Ich habe keine Bratwurst. ☐b☐ Ich habe nur Bratwurst.

5. ☐a☐ Also, eine Cola und zwei Pommes? ☐b☐ Also, eine Cola und drei Pommes?

6. ☐a☐ Das macht 4,95 Euro. ☐b☐ Das macht 4,59 Euro.

Leseecke: Ein Rezept für Kartoffelpuffer

Ordne zu und bringe die Fotos in die richtige Reihenfolge.

1. Zuerst musst du die Kartoffeln und die Zwiebel schälen.
2. Dann musst du die Kartoffeln und die Zwiebel reiben.
3. Ein Ei, Mehl und Salz dazugeben.
4. Rühren.
5. Öl in der Pfanne heiß machen.
6. Etwas Kartoffelmasse in die Pfanne geben und braten.
7. Auf der anderen Seite auch braten.
8. Mit Apfelmus zusammen essen.

Guten Appetit!

Meine Ecke – Sprichwörter

Was passt zusammen? Ordne zuerst die Sprichwörter den Bildern zu. Welche Erklärung a–d passt zu den Sprichwörtern 1–4?

1. Hast du Tomaten auf den Augen?
2. Ich bekomme das Handy für 'nen Appel und 'n Ei.
3. Mann, es geht um die Wurst!
4. Das ist doch alles Käse.

a) Das ist Quatsch/Unsinn.
b) Es geht um alles / um die Entscheidung.
c) Du siehst nichts/schlecht.
d) sehr billig

Mach die Übungen. Kontrolliere im Schlüssel auf Seite 79 und kreuze an:

☺ das kann ich gut 😐 das kann ich einigermaßen ☹ das muss ich noch üben.

1 Sagen, was du morgens, mittags, abends isst **Ergänze die Sätze.**

1. Morgens zum Frühstück esse ich meistens _____ .

2. In der Pause esse ich zwei _____

   mit _____ und _____

3. Mittags esse ich immer in der Kantine. Man kann _____

   und _____ haben.

   Ich esse immer vegetarisch, ich esse _____ .

4. Trinkst du abends lieber _____ oder _____ ? – Ich mag

   _____ , ich trinke immer Tee.

2 Sagen, was du gerne isst

Schreib Sätze mit *gerne, lieber, am liebsten, überhaupt nicht.*

_____

_____

_____

_____

3 Über Spezialitäten sprechen **Ordne die Sätze und schreib den Text.**

1. In / Spezialität / habe / Süddeutschland / wir / eine / .
2. heißt / „Maultaschen" / Sie / .
3. In / Maultaschen / ist / Fleisch / Gemüse / und / den / .
4. Man / sie / gern / zusammen / mit / Salat / isst / .
5. Maultaschen / Ich / finde, / schmecken / sehr gut / .

4 Bestellen **Welche Reaktion (a–d) passt zu welcher Äußerung (1–4)? Hör und ordne zu.**

_____ a) Ja, natürlich, richtig viel, bitte.   _____ b) Äh, am liebsten eine Cola.

_____ c) Doch, einen Salat, bitte.   _____ d) Danke.

Seite 13

das <u>A</u>bendessen (nur Sg.) . . . .

das Br<u>o</u>t, -e . . . .

der K<u>ä</u>se (nur Sg.) . . . .

der Sch<u>i</u>nken (nur Sg.) . . . .

die B<u>u</u>tter (nur Sg.) . . . .

die W<u>u</u>rst, "-e . . . .

der T<u>ee</u> (nur Sg.) . . . .

das Fr<u>ü</u>hstück (nur Sg.) . . . .

das <u>O</u>bst (nur Sg.) . . . .

das Br<u>ö</u>tchen, – . . . .

das M<u>ü</u>sli, -s . . . .

die M<u>i</u>lch (nur Sg.) . . . .

die Marmel<u>a</u>de, -n . . . .

der Qu<u>a</u>rk (nur Sg.) . . . .

das J<u>o</u>ghurt, – . . . .

das M<u>i</u>ttagessen (nur Sg.) . . . .

das Gem<u>ü</u>se (nur Sg.) . . . .

das Fl<u>ei</u>sch (nur Sg.) . . . .

die Kart<u>o</u>ffel, -n . . . .

der R<u>ei</u>s (nur Sg.) . . . .

die N<u>u</u>del, -n . . . .

das S<u>a</u>ft, "-e . . . .

das Miner<u>a</u>lwasser (nur Sg.) . . . .

der H<u>u</u>nger (nur Sg.) . . . .

der D<u>u</u>rst (nur Sg.) . . . .

Seite 14

k<u>e</u>nnen . . . .

· Quark kenne ich (nicht). . . . .

der Hamburger, – . . . .

schm<u>e</u>cken . . . .

l<u>e</u>cker . . . .

· Das schmeckt lecker. . . . .

· überh<u>au</u>pt nicht . . . .

Seite 15

g<u>e</u>rn, l<u>ie</u>ber, am l<u>ie</u>bsten . . . .

· Am liebsten esse ich
  Kuchen. . . . .

lieber als . . . .

· Er mag lieber Brot als Müsli. . . . .

tr<u>i</u>nken . . . .

· Trinkst du lieber Wasser . . . .
  oder Cola? . . . .

die T<u>a</u>sse, -n . . . .

der <u>A</u>pfel, "– . . . .

die Kant<u>i</u>ne, -n . . . .

der Kart<u>o</u>ffelsalat (nur Sg.) . . . .

das W<u>ü</u>rstchen, – . . . .

die S<u>u</u>ppe, -n . . . .

die Tom<u>a</u>te, -n . . . .

der K<u>a</u>ffee (nur Sg.) . . . .

<u>e</u>ssen, <u>i</u>sst . . . .

der Br<u>a</u>ten, – . . . .

· Ich esse gerne Braten. . . . .

k<u>o</u>chen . . . .

· Ich kann kochen. . . . .

Seite 16

das Men<u>ü</u>, -s . . . .

veget<u>a</u>risch . . . .

die S<u>o</u>ße, -n . . . .

das <u>Ei</u>, -er . . . .

prob<u>ie</u>ren . . . .

der N<u>a</u>chtisch, -e . . . .

die Schokol<u>a</u>de (nur Sg.) . . . .

der K<u>u</u>chen, – . . . .

Seite 17

gl<u>ei</u>ch . . . .

über<u>a</u>ll . . . .

S<u>ü</u>ddeutschland (nur Sg.) . . . .

N<u>o</u>rddeutschland (nur Sg.) . . . .

das Schn<u>i</u>tzel, – . . . .

m<u>i</u>t . . . .

· Schnitzel mit Salat . . . .

die W<u>e</u>lt (nur Sg.) . . . .

die Spezialit<u>ä</u>t, -en . . . .

ber<u>ü</u>hmt . . . .

der Tour<u>i</u>st, -en . . . .

die L<u>ie</u>blingsspeise, -n . . . .

zu<u>e</u>rst ... dann . . . .

· Das schmeckt super! . . . .

Seite 18

die Br<u>a</u>twurst, "-e . . . .

die P<u>o</u>mmes (nur Pl.) . . . .

das K<u>e</u>tchup, - . . . .

die Mayonnaise/M<u>a</u>yo . . . .

· Mit Ketchup, aber
  ohne Mayo . . . .

Mein Tipp:
Wörter in Gruppen lernen.
Mein Frühstück: Tee, Butter, Marmelade,
Bits und Bytes …

1 Machen wir was zusammen?

20 **a** Ergänze den Dialog. Hör zur Kontrolle.

Zeit – machen – Ahnung – meine – kommen – besuche – gehen – Ahnung – ~~Samstagnachmittag~~ – Samstag – Holst … ab – Abend

- ● Was machst du am _Samstagnachmittag_?

- ■ Da _____ ich _____ Tante.

- ● Oh – blöd. Und am _____?

- ■ Keine _____. Um sechs habe ich _____.

- ● Wollen wir in die Stadt _____?

- ■ Was wollen wir da _____?

- ● Keine _____, aber Steffi und Olli _____ auch.

- ■ O.k. _____ du mich _____?

- ● Ich bin um sechs da.

- ■ O.k. Alles klar. Bis _____ um sechs dann.

b Ergänze die Sätze zu den Bildern.

A	B	C	D
Ich gehe	Ich gehe	Ich gehe	Ich gehe
in die Disco.			

c Dialogbaukasten – Schreib Dialoge. Vergleiche in der Klasse.

A	B
Was machst du am …?	Keine Ahnung.
Willst du mit uns in / ins / zum … kommen?	Da habe ich ein Fußballspiel / Mathetraining / …
Wollen wir eine Fahrradtour machen?	Am … habe ich keine Zeit.
Und am …?	Am … besuche ich meine Oma.
Was wollen wir machen?	Nichts. Hast du eine Idee?
O.k. Ich hol dich um … ab.	Das ist gut. Da habe ich ab … Uhr Zeit.

2 Verneinung mit *nicht* oder *kein*

⊕ Schreib die Sätze mit *nicht* oder *kein/e/en*. Die Position von der Verneinung ist mit · markiert.

1. Ich **lese** · gern.
2. Ich habe · **Fahrrad**.
3. Mein Bruder **fährt** · gern Fahrrad.
4. Ich **gehe** morgen · ins Schwimmbad.
5. Robert hat · **Computer**.
6. Ich **telefoniere** · viel mit dem Handy.
7. Er hat · **Freundin**.
8. Sie haben · **Zeit**.
9. Rike **mag** Computerspiele ·.
10. Ich **gehe** heute · in die Stadt. Ich habe · **Lust**.

1. Ich lese nicht gern.   _2. Ich habe kein Fahrrad._

3 Hören üben

21 Hör zu und kreuze an. Welchen Satz hörst du: [a] oder [b] ?

1. [a] Hast du ein Fahrrad?   [b] Hast du kein Fahrrad?
2. [a] Ich brauche einen Tennisschläger.   [b] Ich brauche keinen Tennisschläger.
3. [a] Ich gehe nicht gern ins Kino.   [b] Ich gehe nicht ins Kino.
4. [a] Kannst du gut Einrad fahren?   [b] Kannst du nicht Einrad fahren?
5. [a] Ich muss noch üben.   [b] Ich muss nicht üben.
6. [a] Spielst du viel mit deinem Bruder?   [b] Spielst du nicht viel mit deinem Bruder?

4 Monate und Jahreszeiten

a Wie viele Tage haben die Monate? Schreib die Zahlen und die Monate.

28/29 Tage: *achtundzwanzig oder* _____   *Tage: Februar* _____

30 Tage _____ *Tage: April, ...* _____

31 Tage _____

b Jahreszeiten – Was macht man wann? Ordne die Wörter zu. Es gibt mehrere Möglichkeiten.

Frühling
Sommer
Herbst
Winter
grün
gelb
braun
weiß
eislaufen
schwimmen
Eis essen
lesen

der Winter, eislaufen

fernsehen
wandern
eine Gartenparty
in die Berge fahren
ans Meer fahren
Skateboard fahren
Ferien
heiß
eine Fahrradtour machen
Ski fahren
Fußball spielen

5 Was ist wichtig im Jahr?

Schau im Internet nach und ergänze die Monatsnamen.

A Mit diesem Monat beginnt in vielen Ländern das neue Jahr.

B In einem von diesen beiden Monaten ist Karneval.

C In diesem Monat ist der „Internationale Frauentag".

D In diesem Monat ist der National-feiertag in Deutschland. Seit 1990 ist Deutschland wieder ein Land.

E In diesem Monat beginnt der Sommer oder der Winter.

F In diesem Monat ist der National-feiertag in der Schweiz.

G In diesem Monat ist der Nationalfeiertag in Österreich.

H In diesem Monat ist Weih-nachten.

A *Januar* _____   E _____
B _____   F _____
C _____   G _____
D _____   H _____

6 Zeitangaben

Ergänze die Präpositionen *um*, *im*, *am*. Suche die Antworten.

1. Ich rufe im September _____ 12 Uhr aus Berlin in Rio an. Wie viel Uhr ist es dort?

2. In Deutschland beginnt der Frühling _____ März. Welche Jahreszeit beginnt dann in Australien?

3. Ich wohne in München. Mein Freund ruft mich immer _____ Abend, _____ 9 Uhr, aus San Francisco an. Welche Tageszeit ist es dort?

Der Corcovado in Rio de Janeiro.

4. _____ Sonntag arbeitet man in der Schweiz nicht. Und wann arbeitet man in Ägypten nicht?

7 Schulzeit und Ferienzeit

Wie heißen die Ferien? Die Tabelle im Lehrbuch hilft.

1. Zwischen Juli und September sind die _____ .

2. Die _____ sind im April.

3. Im Februar haben viele Schulen _____ .

4. Ende Oktober haben wir _____ .

5. Das Jahr endet (und beginnt) mit den _____ .

8 Das macht Spaß

Schreib den Text im Heft.

ich/mache/gernebergtourenundgeheauchkletternichgeheauchgerne-
schwimmenamliebstenimsommerimseeaberichhabeaucheinwinterhob-
byichsammlebriefmarkendiebriefmarkensammlungistschonsehrgroßsieist-
vonmeineromaichheißeübrigenssandraundwohneinluzerninderschweiz.

Ich mache ...

9 Ein Blog

a Ergänze den Text.

Wir sind die Klasse 7 von der Geschwister-Scholl-Schule in Mannheim. Wir haben v*o n* 7 Uhr 45
b__ __ 12 Uhr 55 Sch__ __ __ , dann gehen w__ __ nach Hause. M__ __ kann auch in d__ __ Schule
bleiben u__ __ Hausaufgaben machen. An zw__ __ Tagen in d__ __ Woche haben w__ __ auch
nachmittags Unter__ __ __ __ __ . Zu Hause es__ __ __ wir zuerst zu Mit__ __ __ . Nach dem
Mitta__ __ __ __ __ __ müssen wir Hausau__ __ __ __ __ __ machen und ler__ __ __ . Die Hausaufgaben
dau__ __ __ vielleicht eine Stu__ __ __ oder zwei. D__ __ kommt darauf an. Manc__ __ __ __ geben alle
Leh__ __ __ viele Hausaufgaben auf u__ __ manchmal nicht. V__ __ den Klassenarbeiten müs__ __ __
wir natürlich no__ __ extra lernen u__ __ einige von u__ __ haben auch Nach__ __ __ __ __ __ .
Montags, mittwochs u__ __ freitags haben w__ __ nach den Hausau__ __ __ __ __ __ Zeit für uns__ __ __
Hobbys und uns__ __ __ Freunde. In der Schule gibt es auch Freizeitangebote.

b Schreib einen Beitrag zu Rafiks Blog.

Tipps zum Schreiben

1. Lies zuerst Rafiks Blog.
2. Sammle Stichwörter für deinen Text.
3. Ordne die Stichwörter.
4. Schreib deinen Text.
5. Korrigiere deinen Text.

   Überlege:
a) groß oder klein,
b) stehen die Verben richtig,
c) Rechtschreibung, z. B. ie/ih, s/ss/ß …

Rafiks Blog

Ich heiße Rafik und bin 13 Jahre alt. Heute beginne ich meinen Blog. Ich wohne in Deutschland, in Hannover. Ich gehe in die Humboldt-Schule. Ich bin in Klasse 8. Meine Lieblingsfächer sind Mathe und Bio. Am Nachmittag mache ich zuerst meine Hausaufgaben. Dann habe ich Freizeit. Ich spiele gern Fußball. Meine anderen Hobbys sind Computerspiele und Tiere. Ich habe einen Hund und eine Katze. Wer schreibt mir?

10 Phonetik: w

22 **a** Hör zu und markiere. Welches Wort hörst du?

1. [a] will [b] Bill
2. [a] wer [b] Bär
3. [a] Wald [b] bald
4. [a] wild [b] Bild
5. [a] wohnen [b] Bohnen

23 **b** Hör zu und sprich nach.

24 **c** Hör zu und markiere. Hörst du ein „f" oder ein „w"?

1. [f] vier	2. [ ] Video	3. [ ] viel
4. [ ] verkaufen	5. [ ] verstehen	6. [ ] Verb
7. [ ] Volleyball	8. [ ] vielleicht	9. [ ] versuchen
10. [ ] Viertel	11. [ ] Vase	12. [ ] vor

11 *Wollen* und *müssen*

a Ergänze die Formen.

	wollen	müssen
ich/er/es/sie/man		
du		
wir/sie/Sie		
ihr		

Man muss nur wollen!

b Schreib die Sätze mit der richtigen Form von *müssen* oder *wollen*.

1. aufstehen / um 6 / ich / jeden Morgen / müssen / . _____

2. kommen / zu mir / du / am Mittwoch / wollen / ? _____

3. lernen / für den Test / wir / heute / müssen / . _____

4. kommen / am Samstag / ihr / zu uns / wollen / ? _____

5. ausräumen / Anna / die Spülmaschine / müssen / . _____

12 Umfrage zum Thema „Freizeit"

a Eine Umfrage vorbereiten – Schreib Fragen aus den Elementen. Es gibt mehrere Möglichkeiten.

~~Wann stehst~~	bist du mit deinen Freunden zusammen?
Wann machst	arbeitest du am Wochenende?
Wann gehst	~~am Wochenende auf?~~
Wann	du ins Bett?
Wie lange	du nach Hause?
Wie oft	gehst du …?
Wie viele Stunden	kommst du …?
Musst du auch	machst du Hausaufgaben?
	machst du Sport?
	morgens aus dem Haus?
	redest du mit deinen Eltern?
	sitzt du vor dem Computer?
	sitzt du vor dem Fernseher?

Wann stehst du am Wochenende auf?

Gar nicht! Ich schlafe 48 Stunden.

> Wann stehst du am Wochenende auf?

 b Beantworte die Fragen für dich.

> Am Samstag stehe ich um 9 auf, denn um 10 spiele ich Fußball.

 c Du möchtest diesen Film sehen. Es ist ein Fußballfilm.
Du hast nur am Samstag oder Sonntag Zeit.
Hör die Kinoansagen. Wann kannst du ins Kino? Kreuze an.

1. ☐ am Samstag um 16 Uhr und um 19.30 Uhr
   im Odeon-Kino.
2. ☐ am Samstag um 16.30 Uhr und um 19.30 Uhr
   im Atlantis-Kino.
3. ☐ am Sonntag um 11 Uhr im Odeon-Kino.
4. ☐ am Sonntag um 12 Uhr, 15.30 Uhr und
   um 17.30 Uhr im Atlantis-Kino.

Spielfilm „Das Wunder von Bern", 2003, Regisseur: Sönke Wortmann

d Hör noch einmal. Welche Filmtitel hörst du noch?

Hörstudio

26–27 **Du hörst zwei Gespräche. Hör jedes Gespräch zweimal. Zu jedem Gespräch gibt es Aufgaben.
Markiere die richtigen Lösungen mit einem Kreuz:** R **für richtig oder** F **für falsch.**

Interview 1: Julia Welcker

1. Julia wohnt in Norddeutschland. R F
2. Sie ist nicht gut in der Schule. R F
3. In der Freizeit ist sie meistens mit Freundinnen zusammen. R F

Interview 2: Benjamin Steger

4. Benjamin wohnt in Leipzig. R F
5. Benjamin macht Sport. R F
6. Benjamin ist gut in Englisch. R F

Meine Ecke – Spiegelsätze

a Wie heißen die Sätze?

1. _____ 2. _____

3. _____ 4. _____

b Fotografiert eigene Sätze im Spiegel. Tauscht in der Klasse.

Mach die Übungen. Kontrolliere im Schlüssel auf Seite 79 und kreuze an:

☺ das kann ich gut   😐 das kann ich einigermaßen   ☹ das muss ich noch üben.

1 Über Freizeitaktivitäten sprechen/schreiben   **Schreib die Sätze.**

1. Musik / Hobby / ist / mein / .   *Mein* _____

2. ich / eine / Band / spiele / in / .   _____

3. spiele / ich / singe / Gitarre / ich / und / .   _____

4. Woche / üben / pro / wir / zweimal / .   _____

5. spielen / Partys / samstags / bei / wir / oft / .   _____

6. beim / spielen / Schulfest / Juli / im / wir / .   _____

28   **2** Freizeitaktivitäten planen   **Hör zu. Welche Reaktion (a–d) passt zu 1–4?**

_____ a) Dann gehen wir am Sonntag ins Kino, o. k.?

_____ b) Nein, ich möchte lieber Fußball spielen.

_____ c) Keine Ahnung, und du?

_____ d) Ich bin um vier Uhr da.

3 Noten, Zeugnisse und Ferien vergleichen   **Richtig** R **oder falsch** F **?**

1. In Deutschland ist eine 1 sehr gut und eine 6 sehr schlecht.   R F
2. In Österreich haben die Schüler etwa zwei Monate Ferien im Sommer.   R F
3. In der Schweiz gibt es ungefähr 10 Wochen Sommerferien.   R F

4 Informationen finden   **Lies die Zeitungsanzeigen und die Aufgaben. Ordne zu.**

A

Das Bachgymnasium wird 25 Jahre alt.

Große Party mit Musik von Bach bis R & B.

Eintritt 5 Euro. Schüler des Bachgymnasiums frei.

B

Üben macht fit

Wir bieten Training in allen Schulfächern. Gruppen- und Einzelunterricht.

Telefon: 025 46 89 34 5 info@schülertraining.de

C

Der Fahrradladen

TOP-ANGEBOT Moutainbikes mit Shimano X17 24-Gang-Schaltung, ZX-Bremsen

ab 399 €

D

CINEPLEX

Programm Samstag/ Sonntag:
16.00 Shrek 5
18.00 Harry Potter 7
21.00 Merlin

1. Du willst am Wochenende einen Film sehen.   Anzeige _____

2. Eine Schule macht ein Fest.   Anzeige _____

3. Du brauchst Nachhilfe in Englisch.   Anzeige _____

Seite 22

das Schwimmbad, "-er . . . .
· Warum (nicht)? . . . .
der Quatsch (nur Sg.) . . . .
· Das ist Quatsch! . . . .
natürlich . . . .
der Bikini, -s . . . .
der Eintritt, -e . . . .
die Mitternacht, "-e . . . .
die Gruppe, -n . . . .
die Technik (nur Sg.) . . . .
wollen, will . . . .
die Freizeitaktivität, -en . . . .
das Theater, – . . . .
das Problem, -e . . . .
die Disco, -s . . . .
die Kirche, -n . . . .

Seite 23

· Ich habe keine Zeit. . . . .
· Ich habe keine Lust. . . . .
die Radtour, -en . . . .
dabei haben . . . .
das Kinoprogramm, -e . . . .

Seite 24

endlich . . . .
· Endlich haben wir Ferien! . . . .
das Schuljahr, -e . . . .
bald . . . .
das Fest, -e . . . .
das Freibad, "-er . . . .
ein paar . . . .
regnen . . . .
schulfrei . . . .
der Monat, -e . . . .
die Jahreszeit, -en . . . .
feiern . . . .

das Zeugnis, -se . . . .
die Note, -n . . . .
schlecht . . . .
· Note 6 ist sehr schlecht. . . . .
beginnen . . . .

Seite 25

chillen . . . .
fotografieren . . . .
der Berg, -e . . . .
der See, -n . . . .
wenig . . . .
trainieren . . . .
regelmäßig . . . .
die Kamera, -s . . . .
das Auto, -s . . . .
das Motorrad, "-er . . . .

Seite 26

dauern . . . .
· Die Hausaufgaben
  dauern eine Stunde. . . . .
brauchen . . . .
· Ich brauche mehr Zeit. . . . .
darauf ankommen . . . .
· Das kommt darauf an. . . . .
die Klassenarbeit, -en . . . .
extra . . . .
das Blog, -s . . . .
suchen . . . .
werden . . . .
· Sie will Fußballprofi . . . .
  werden. . . . .

Seite 27

spazieren gehen . . . .
reden . . . .

*Es war eine Mutter, die hatte vier Kinder: den **Frühling**, den **Sommer**, den **Herbst** und den **Winter** …*

Jahreszeiten und die Monate

der Frühling
der Sommer
der Herbst
der Winter

Januar   April   Juli   Oktober

LESEN, HÖREN UND SCHREIBEN

Das Fußballcamp

a Lies den Text und die Anzeige. Ergänze dann die Tabelle.

Beate spielt seit einem Jahr Fußball. Sie liest eine Anzeige über ein Fußballcamp in den Sommerferien.

Top-Mädchen

Fußballcamp für Mädchen
ab 12 Jahren
Termin: 3.–16. August
Ort: Sportschule Münster
Teilnahmegebühr 380 €
Informationen und Anmeldung bei

Frauke Bokel-Immermann
(Koordinatorin Mädchenfußball)
Telefon 01887-452098
Mail: info@bokim.de

Wann ist das Camp?	Was kostet es?	Wo findet es statt?	Wer kann mitmachen?

b Beate spricht mit ihren Eltern. Lies die 1–8. Hör zu und markiere richtig R oder falsch F .

1. Beate ist zu alt für das Camp.   R F
2. Tim möchte auch mitmachen.   R F
3. Beate möchte mit einer Freundin in das Camp fahren.   R F
4. Die Familie von Beate möchte zwei Wochen an die Ostsee fahren.   R F
5. Die Familie von Beate fährt nicht zum ersten Mal an die Ostsee.   R F
6. Das Camp kostet 380 Euro plus Reisekosten.   R F
7. Die Mutter sagt, es gibt ein Problem.   R F
8. Am Ende sagen die Eltern Ja.   R F

Beates E-Mail

a Lies den Text und schau die Bilder an. Welche passen zum 10. August?

Neue Mail ⇨ **Senden**

An	kunz@tomtom.de
Betreff	Lebenszeichen am 10.8.

Hallo, Lisa,

jetzt bin ich schon eine Woche im Camp. Es ist super. Es gibt dauernd Training oder Programm. Ich habe keine Minute Zeit. Nicht einmal für eine SMS. Aber heute regnet es den ganzen Tag und wir haben kein Training. Wir sind in der Jugendherberge, schreiben SMS und Mails, hören Musik, sehen fern, machen Spiele – und essen Chips (Das darf die Trainerin aber nicht sehen ☺). Ich habe schon viele neue Freundinnen: Michelle und Dani aus Dresden, Angela und Christiane aus Mannheim und Luisa kommt aus Bogotá in Kolumbien, aber sie wohnt jetzt in Freiburg. Das Fußballtraining ist echt hart, aber es macht Spaß. Münster ist schön. Wir wollen heute Nachmittag mit dem Bus in die Stadt fahren. Ich will eine Postkarte von Münster kaufen und an Mama, Papa und Tim schreiben.

Und ihr: Wie geht's? Was macht ihr gerade? Seid ihr schon in Ferien oder noch zu Hause? Nächstes Jahr gibt es ein Fußballcamp für Mädchen ab 15 in Bayern. Da will ich auch hin.

Wer will mitkommen?

Liebe Grüße an alle

Beate

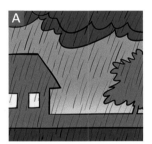

b Lies den Text noch einmal und beantworte die Fragen.

1. Wie lange ist Beate schon im Fußballcamp? _____

2. Wo wohnen die Mädchen? _____

3. Wie findet sie das Fußballtraining? _____

4. Was machen die Mädchen an einem Regentag? _____

5. Woher kommen Beates neue Freundinnen? _____

6. Was will sie am Nachmittag machen? _____

 c Antworte auf Beates E-Mail. Schreib mindestens 30 Wörter.

Liebe Beate,

danke für deine Mail. Ich bin …

HÖREN UND LESEN

 Snacks für zwischendurch

30 **a Lies den Text, hör zu und notiere die Antworten von den vier Jugendlichen auf die Fragen.**

Es ist morgens 10 Uhr, dein Frühstück war um 7:30 Uhr. Du hast jetzt wieder Hunger, das Mittagessen ist aber erst um 12:30 Uhr. Was möchtest du gerne als Snack zwischendurch essen? Was möchtest du auf keinen Fall essen?

| Früchte und Rohkost | belegte Brötchen | Süßigkeiten | Kuchen oder Kekse |

Nora: _____   Kevin: _____

 _____   _____

Nicolas: _____   Sara: _____

_____   _____

b Und du? ☺ _____   ☹ _____

 Das essen Deutsche gerne als Snack.

Lies den Infotext und ergänze die Snacks in der Grafik.

belegte Brötchen – Früchte und Rohkost – Kuchen oder Kekse – Süßigkeiten – keine Informationen

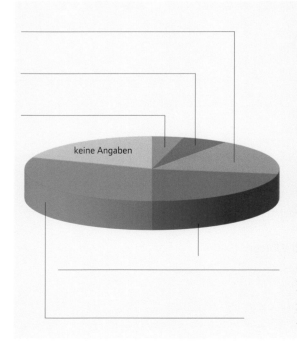

keine Angaben

„Was essen Sie am liebsten als kleinen Snack zwischendurch?", diese Frage hat das Marktforschungsinstitut Nürnberg mehr als 2000 Deutschen gestellt. Sie waren mindestens 14 Jahre alt. Und das sind die Ergebnisse: Sehr viele (28 %) essen am liebsten sehr gesund. Sie essen ungekochtes Obst oder Gemüse als kleine Zwischenmahlzeit. An zweiter Stelle steht etwas Kräftiges: 22 % essen gerne ein Brötchen mit Käse oder Wurst. Nur ungefähr 13 % essen gerne etwas Süßes zwischendurch. Etwas mehr als 7 % der Deutschen essen gerne Schokolade und Gummibärchen und nur gut 6 % essen gerne Kuchen oder Kekse als kleinen Snack zwischendurch. Für die anderen gibt es keine Informationen, sie essen vielleicht unterschiedliche Dinge zwischendurch, essen nichts zwischendurch oder haben keine Informationen gegeben.

Grammatik trainieren

Max wohnt seit einer Woche mit seiner Familie in Kapstadt. Ergänze Tommis E-Mail an Max.

~~wie~~ – keinen – meinem – muss – auf – war – angefangen – sind – der – weggefahren – im – war – kommen –keine

---

Neue Mail   ⇨ **Senden**

Hi, Max!

Wie geht's? Ist alles o.k.? Ich denke den ganzen Tag an dich und an alle Jungs aus _____ Klasse.

Ich bin so einsam hier! Erst _____ alles hektisch: In den ersten Ferientagen haben wir alle Möbel

eingepackt, dann der Flug nach Kapstadt. Das _____ wirklich toll! Aber jetzt sitze ich allein in

_____ Zimmer. Total leer! Unsere Möbel _____ noch nicht angekommen. Ich

habe _____ Schrank, meine Klamotten liegen noch im Koffer. Ich habe kein Bett, ich

schlafe _____ dem Boden. Zum Glück hat die Schule noch nicht _____

und ich muss keine Hausaufgaben machen. Ich sitze meistens auf dem Boden und surfe _____

Internet. Wann hast du Zeit? Wir können mal LoL zusammen spielen. Ist Paul auch da oder ist

er _____ ? Er hat nicht geantwortet.

Ich _____ jetzt Schluss machen. Es gibt Abendessen.

Ich habe aber _____ Lust und auch keinen Hunger.

Unten ist ein Foto. Die Stadt ist wirklich cool. Aber alleine

☹ ☹. Vielleicht kannst du in den nächsten Ferien mal

_____ ?

Tschüs,
Tommi

Wortschatz trainieren

Mach das Kreuzworträtsel und notiere das Lösungswort.

1 Die Bücher stehen im …
2 Ich sitze auf dem …
3 März bis Juni. Wie heißt diese Jahreszeit in Deutschland?
4 Sonja hat ein Pferd. Ihr Hobby ist …
5 Ein Zimmer hat vier … Da können Poster hängen.
6 Sommer. Das sind die Monate Juni, Juli und …
7 Sie spielt nicht gerne alleine, sie spielt lieber … mit ihren Freundinnen.
8 Hier liege ich, hier träume ich: im …
9 Meine Jeans und meine T-Shirts liegen im …

7 **Z U S A M M E N**

Lösungswort (senkrecht ↓):

Das tun Jugendliche (und Erwachsene) gar nicht gern: _____ .

1 Körper

a Deutsch und Englisch – Ordne zu.

der Mund   der Finger   ~~der Arm~~   das Ohr
die Schulter   das Haar   die Hand   der Fuß   die Nase

foot   nose   shoulder   ~~arm~~   mouth
hand   finger   ear   hair

der Arm – arm

b Schreib die Körperteile mit Artikel und Plural in die Zeichnung.

das Haar, die Haare

c Hör zu, sprich nach und markiere in 1b den Wortakzent.

2 Ich habe Kopfschmerzen.

a Beschreib die Bilder mit je einem Satz.

Sein Fuß tut weh.

Er hat

Seine

b Wähl einige Elemente aus und schreib eine Entschuldigung.
den Test schreiben. – Er/Sie kann nur langsam gehen – kommt heute leider – ~~Liebe Frau …,~~ – mein Sohn/meine Tochter kann heute leider nicht – seine/ihre Füße – Sie hat Faulmoriartis – tun weh. – und muss um 11 Uhr zum Arzt – zu spät zur Schule. – Mit freundlichen Grüßen

Ort, Datum

Liebe Frau Kindermann,

…

Gruß

3 Die Zirkus-AG

a Bildbeschreibung – Ergänze den Text.

1. Tom *steht* _____ Lukas.

2. Netti _____ _____ den _____

   von Tom und Lukas.

3. Katha _____ _____ den _____

   von Netti.

4. Patti und Ulli _____ _____ den

   _____ von Tom und Lukas.

32 **b** Lies die Aufgaben 1–3. Du hörst ein Gespräch. Kreuze an: richtig R oder falsch F .
Hör das Gespräch zweimal.

1. Leander will nicht zur Zirkus-AG gehen.   R F
2. Birthe hat Probleme in Mathematik.   R F
3. Sie wollen zusammen Mathe lernen.   R F

4 Phonetik: z

33 **a** Hör zu und ergänze: s oder z?

1. ___abine er___ählt von ihrer Frei___eit.

2. Eine Spe___ialität aus dem ___üden von Deutschland: Schwar___wälder Kirschtorte.

3. Von ___eptember bis De___ember

4. ___acharias ___eigt ___u___anne ___ein ___immer.

5. ___wischen ___ehn und ___wan___ig Pro___ent au___ un___erer Klasse mögen ___alat.

34 **b** Welches Wort hörst du? Kreuze an.

1. [x] seit   [ ] Zeit   2. [ ] sehen   [ ] zehn

3. [ ] Kurs   [ ] kurz   4. [ ] andere Seiten [ ] andere Zeiten

5 Modenschau

a Ordne nach dem Artikel und ergänze den Plural.

der	das	die
der Rock, die Röcke	das Kleid, die Kleider	
...		

35 **b** Markiere den Wortakzent und hör zur Kontrolle.

6 Pluralformen trainieren – Silbenrätsel

Wie viele Wörter im Plural findest du? Ergänze den Artikel und den Singular. Mach eine Tabelle.

sen	Bril	schen	Jun	gen	Ar	rin	Ohr	ße	Stie	der	Köp	Zäh	tel	Klei
fe	chen	sen	Mäd	Au	gen	sen	Fü	Far	Blu	ger	ge	cken	Rü	lo
ben	ne	Na	Ta	Bei	ne	Ho	me	fel	Män	Fin	ver	len		Pul

Singular = Plural (auch mit Umlaut)	Singular –e ⇨ Plural –en	Andere Pluralformen
der Mantel, die Mäntel	die Bluse, die Blusen	der Kopf, die Köpfe

7 Du siehst total gut aus!

a Pronomen im Nominativ (Wiederholung) – Ergänze *er, es, sie, sie*.

1. Die Bluse ist cool, aber _sie_ ist zu weit.

2. Der Pullover ist teuer, aber _____ sieht gut aus.

3. Probier mal das Kleid, _____ ist super.

4. Guck mal, die Schuhe, _____ sind knallrot.

b Ergänze die Pronomen im Akkusativ: *ihn, es, sie, sie*.

1. ● Nimmst du das T-Shirt?

   ■ Natürlich nehme ich _____ .

2. ● Magst du den Mantel?

   ■ Nein, ich mag _____ nicht.

3. ● Wie findest du die Kappen?

   ■ Ich finde _____ blöd.

4. ● Die Bluse finde ich gut.

   ■ Probier _____ mal.

c Nominativ oder Akkusativ? Ergänze die Pronomen.

● Und wie findest du den Pullover?

■ Also, ich finde _____ zu eng. Probier mal den. _____ ist in Größe 36.

● Und? Wie ist _____?

■ _____ sieht gut aus. Ich finde _____ cool.

● O.k., dann nehme ich ___.

36 **d** Hör zu und antworte.

Ich finde ihn total verrückt.

1. total verrückt   2. cool   3. total blöd   4. super   5. echt gut

e Ordne die Gegenteile zu.

| blöd   cool   eng   groß   interessant   lang   modisch | klein   kurz   unmodisch   langweilig   super   uncool   weit | cool – uncool |

8 Wer ist das?

a Lies die Texte und ordne die Fotos zu.

A · Ron

B · Elli

C · Kira

D · Johanna

1 ___

Ich bin 1,56 m groß. Meine Haare sind braun und kurz. Ich trage gerne Ohrringe. Im Winter trage ich meistens Jeans, aber im Sommer trage ich Kleider.

2 ___

Meine Haare sind blond, lang und ein bisschen lockig. Meine Hose ist eng und meine Bluse auch. Die Bluse ist weiß. Meine Augen sind braun und ich trage eine Brille.

3 ___

Ich trage am liebsten Kleider und Röcke. Mein Lieblingsrock ist hellblau. Mein Haare sind lang und braun. Ich liebe auch Pullover und Mäntel.

4 ___

Ich bin 1,78 m groß. Meine Haare sind rechts und links ganz kurz. Am liebsten trage ich Jeans und ein T-Shirt. Meine T-Shirts sind alle schwarz. Ich trage gerne Sonnenbrillen.

b Beschreib Johanna.

> *Sie ist …*

9 Hören üben

37 **Im folgenden Text sind 6 Fehler. Hör zu und korrigiere.**

Ich bin nicht klein, ich bin 1,75 m groß. Ich mag Hosen und Kleider, Hosen trage ich nur im Sommer.

Meine Haare sind schwarz, meine Augen sind braun und meine Lieblingsfarbe ist Pink.

10 Bilder beschreiben

Schreib die Sätze mit dem Verb in der richtigen Form.

1. sein / er / 1,80 m / groß / ungefähr / . *Er ist* _____

2. sein / blond / Haare / seine / . _____

3. glauben / , / ich / Lieblingsfarbe / Schwarz / sein / seine / . _____

4. aussehen / er / interessant / . _____

5. finden / cool / ich / Kappe / seine / . _____

6. aussehen / sie (Sg.) / sympathisch / . _____

7. sein / sie (Sg.) / 15 Jahre / vielleicht / alt / . _____

8. tragen / sie (Sg.) / eine / Jeans / ein / T-Shirt / und / . _____

9. tragen / sie (Sg.) / eine / Brille / . _____

10. finden / super / ich / ihre / Schuhe / . _____

11 Umfrage zum Thema „Mode"

a Ergänze den Text.

alles – wichtig – finde – sieht – gehen – kennen – nichts – etwas

Mode ist _____ für mich und meine Freunde. Wir _____ oft zusammen

shoppen und _____ die Geschäfte sehr gut. Manchmal haben wir kein Geld, dann

kaufen wir _____ und gucken nur. Ich kaufe _____ selbst, meine Mutter

kauft nichts für mich. Manchmal kauft meine Schwester _____ für mich, das

_____ ich dann auch meistens gut. Meine Schwester ist schon 19 und studiert Modedesign

in Berlin. Sie hat immer super Sachen und _____ toll aus.

b Das Verb *verstehen* – Ergänze die Pronomen im Akkusativ.

1. ● Verstehst du die Sätze?

   ■ Nein, ich verstehe ____*sie*____ nicht.

2. Die Übung ist blöd! Ich verstehe _____ nicht.

3. Der Dialog ist so schwer! Ich verstehe _____ nicht.

4. Das Spiel ist so kompliziert ! Ich verstehe _____ nicht.

5. ● Kannst du mich verstehen?

   ■ Nein, Sabrina, ich kann _____ nicht verstehen.

6. ● Hallo, Till, kannst du mich verstehen?

   ■ Tut mir leid, Frau Winter, ich verstehe _____ nicht.

7. ● Könnt ihr uns verstehen?

   ■ Nein, wir können _____ nicht verstehen.

Hallo, hallo, wer spricht da? Ich verstehe dich nicht.

GRRRRR...

c Ergänze die Pronomen im Akkusativ.

1. ● Guck mal, das Baby.   ■ Ich finde _____ so süß!

2. ● Könnt ihr uns sehen?   ■ Nein, wir sehen _____ nicht.
                                                      Wo seid ihr?

3. ● Da vorne sind Karla und Robbie.   ■ Ruf _____ doch mal.

4. ● Frau Becht, ist Mode wichtig für_____?   ■ Ja, ich liebe Mode.

5. ● Thomas, wer ist der Mann?   ■ Ich kenne _____ nicht.

6. ● Ich gehe ins Kino, kommt ihr mit?   ■ Ja, gerne, holst du _____ ab?

d Beantworte die Interviewfragen. Schreib über dich.

1. Wie siehst du aus?
2. Was trägst du gern (im Sommer/Winter/Schule/Freizeit …)?
3. Sind Kleidung und Mode für dich wichtig?
4. Was ist für dich wichtig?

> **Tipp**
>
> Textkorrektur: Das Verb steht in Aussagesätzen und W-Fragen immer auf Position 2.

38 Hörstudio – Entspannung – Eine Reise durch den Körper

Schau das Bild an. Mach das Buch zu. Hör zu und gehe in Gedanken zu den Körperteilen.

Meine Ecke – Kreuzworträtsel

Ergänze die Wörter. Was sagt Smarta zu Smarti?

1 Blau mag ich besonders gern, das ist meine …
2 Die zehn … braucht man zum Klavierspielen.
3 Zum Essen mit Messer und Gabel braucht man beide …
4 Ich liege beim Schlafen immer auf dem … Andere liegen lieber auf dem Rücken.
5 Die … ist zwischen dem Mund und den Augen.
6 Das T-Shirt ist nicht normal, ich finde es total …
7 Mit den … kann man sehen.
8 Mit dem … kann man lachen, essen und trinken.
9 Im Winter ist es kalt, dann braucht man einen …
10 Braucht man die …? Vielleicht nicht, aber sie sehen gut aus.
11 Da hängen die Arme dran. (Plural)
12 Eine Jeans ist eine …

Mach die Übungen. Kontrolliere im Schlüssel auf Seite 79 und kreuze an:

☺ das kann ich gut　　😐 das kann ich einigermaßen　　☹ das muss ich noch üben.

1 Über den Körper sprechen　Schreib die Körperteile mit Artikel und Plural.

_____ _____

_____ _____

_____ _____

_____ _____

2 Ausreden finden　Ergänze die Texte.

Meine _____

_____

_____ .

Ich _____ leider

_____ zum Basketball-

Training kommen.

Mein _____

_____

_____

Ich _____ leider

_____ zum Essen

kommen.

3 Personen beschreiben　Was trägt der Junge? Schreib 5 Sätze.

_____

_____

_____

_____

_____

4 Über Kleidung sprechen　Ergänze die Sätze. Benutze verschiedene Adjektive.

1. ● Wie findest du　2. ● Wie findest du　3. ● Wie findest du　4. ● Wie findest du

die _*Kappe*_ ?　_____　_____　_____

　■ _Ich finde sie_　■ _____　■ _____　■ _____

　interessant.　_____　_____　_____

39 **5** Thema „Mode"　Hör zu und kreuze an: richtig R oder falsch F ?

1. Tanja kauft gerne Kleidung ein.　　　　　　R F
2. Sie gibt jeden Monat 200 Euro für Kleidung aus.　R F
3. Tanja probiert nicht gerne Kleidung an.　　　R F
4. Tanja findet, ihre Mutter kann nicht für sie einkaufen.　R F

Seite 35

der Arm, -e ....

die Schulter, -n ....

das Bein, -e ....

das Auge, -n ....

der Bauch, "-e ....

der Finger, – ....

der Fuß, "-e ....

das Haar, -e ....

die Hand, "-e ....

der Kopf, "-e ....

der Mund, "-er ....

die Nase, -n ....

das Ohr, -en ....

der Rücken, – ....

der Zahn, "-e ....

die Hose, -n ....

das Hemd, -n ....

die Jacke, -n ....

der Rock, "-e ....

die Kraft, "-e ....

· viel Kraft haben ....

Seite 36

der Mensch, -en ....

die Kopfschmerzen (nur Pl.) ....

die Halsschmerzen (nur Pl.) ....

· Ich habe Halsschmerzen. ....

das Fieber (nur Sg.) ....

die Erkältung, -en ....

weh tun, tut weh ....

· Mein Hals tut weh. ....

· Meine Ohren tun weh. ....

Seite 37

planen ....

das Programm, -e ....

stattfinden, findet ... statt ....

etwa ....

teilnehmen, nimmt ... teil ....

die Aufführung, -n ....

das Training (nur Sg.) ....

fliegen

der Zirkus, -se ....

Seite 38

die Mütze, -n ....

das Kleid, -er ....

die Socke, -n ....

der Strumpf, "-e ....

der Turnschuh, -e ....

der Schuh, -e ....

die Sonnenbrille, -n ....

das T-Shirt, -s ....

der Pullover, – ....

der Geschmack (nur Sg.) ....

der Mantel, "– ....

die Jeans (nur Pl.) ....

der Ohrring, -e ....

die Kappe, -n ....

Seite 39

aussehen, sieht ... aus ....

· Du siehst gut aus. ....

Seite 40

blond ....

das Sweatshirt, -s ....

die Lieblingsfarbe, -n ....

lachen ....

tragen, trägt ....

· Ich finde die Person
  sympathisch. ....

· Sie ist ungefähr 1,66
  groß. ....

Seite 41

die Mode (nur Sg.) ....

· Ist Mode wichtig
  für dich? ....

· Ich finde Mode nicht
  so wichtig. ....

groß – klein, weit – eng, kurz – lang, billig – teuer,
langweilig – verrückt, schön – hässlich,
interessant – uninteressant,
sympathisch – unsympathisch, wichtig – unwichtig

cool – uncool – total (un)cool
toll – verrückt – langweilig

Mein Tipp:
Adjektive in Paaren oder
Gruppen lernen.

1 Die Einladung

a Ergänze den Dialog. Hör zur Kontrolle und lies den Dialog laut.

Musik – Training – Geburtstagsparty – Geschenk – Freundinnen – am – um – habe – ist – kennst – kommst – kommt – komme – fängt … an – mitbringen

● Ich mache _____ Freitag meine _____ . Kommst du?

■ Das _____ blöd. Ich habe am Freitag _____ .
Wann _____ deine Party _____ ?

● Um 7.

■ Mist, da _____ ich Training.

● Dann _____ du halt später.

■ O.k., ich bin dann _____ 9 Uhr da. Muss ich etwas _____ ?

● Klar, mein _____ , aber sonst nichts. Oder doch: _____ .

■ O.k., mache ich. Wer _____ noch?

● Drei _____ . Die _____ du aber nicht.
Und Tina, Sophie, Geret … Wir sind 14.

■ Super. Ich _____ gern.

b Schreib die Glückwünsche.

41–43 **2** Geschenke

a Emily hat drei Nachrichten auf dem Anrufbeantworter. Ergänze die Notizen.

Notiz 1
Name: *Julian*

Tag/Uhrzeit des Anrufs:

_____

Notiz:

_____
_____
_____

Notiz 2
Name: _____

Tag/Uhrzeit des Anrufs:

_____

Notiz:

_____
_____
_____

Notiz 3
Name: _____

Tag/Uhrzeit des Anrufs:

_____

Notiz:

_____
_____
_____

b Was weißt du über den Geburtstag in den deutschsprachigen Ländern? Lies 1–5 und markiere richtig R oder falsch F . Kontrolliere mit dem Text auf Seite 44 im Lehrbuch.

1. Den Geburtstag feiert man nur mit der Familie.   R   F
2. Der 15. Geburtstag ist kein besonderer Geburtstag.   R   F
3. Zum Geburtstag bekommt man nur kleine Geschenke.   R   F
4. In den deutschsprachigen Ländern schenkt man kein Geld.   R   F
5. Auf dem Geburtstagskuchen sind Kerzen.   R   F

3 Theas Geburtstag

a Ergänze die „Geburtstags…"-Wörter.

1. der Geburtstagsku_____

2. die Geburtstagst_____

3. die Geburtstagske_____

4. das Geburtstagski_____

5. die Geburtstagsp_____

6. der Geburtstagsti_____

b Lies den Text im Lehrbuch auf Seite 45 noch einmal und beantworte die Fragen.

1. Wo ist der Geburtstagstisch?
2. Wer singt?
3. Wann ist Thea wieder zu Hause?
4. Wann ist die Party?
5. Wer bringt den Kuchen?
6. Was gibt es zum Essen?
7. Wer schaut sich Filme und Videoclips an?

1. Der Geburtstagstisch ist im Wohnzimmer.

4 Der Super-Geburtstag

In der E-Mail sind 8 Fehler: 4 Verbformen und 4 Präpositionen. Korrigiere sie.

Neue Mail   ⇨ **Senden**

Liebe Thea,

alles Liebe und Gute mit deinem Geburtstag. Ich hoffe, du haben ein super Fest um Freitag. Ich bin

zurzeit aus Bogotá. Das ist in Kolumbien. Heute habe ich frei, aber morgen musst ich dann arbeite.

Auch herzlichen Glückwunsch bei Tante Isabel. Dein Geschenk bringe ich nächsten Monat mit. Dann

besuchen ich euch.

Liebe Grüße (auch an deine Eltern und an Oskar),

dein Onkel Theo ☺

---

5 *Deshalb*

a Wiederholung *und/aber* – Schreib die Sätze und
   markiere die Verben im Satz mit *und/aber*.

1. Ich habe heute Geburtstag   und / morgen / mein
                                      Bruder / Geburtstag / hat / .

Ich habe heute Geburtstag und mein Bruder hat morgen Geburtstag.

2. Ich mache am Samstag eine Party,   erst nächste Woche / mein Bruder / aber / feiert / .

_____

3. Heute kommen nur Oma und Opa,   alle meine Freunde / am Samstag / aber / kommen / .

_____

b Schreib die Sätze und markiere die Verben im Satz mit *deshalb*.

1. Ich bin 13,   bis 11 Uhr / kann / feiern / deshalb / ich / .

Ich bin 13, deshalb kann ich bis 11 Uhr feiern.

2. Ich möchte ein Fahrrad kaufen,   Opa und Oma / Geld / bekommen / von / ich / deshalb / .

_____

3. Mein Bruder möchte ein Handy,   von Oma und Opa / er / bekommt / auch Geld / deshalb / .

_____

4. Morgen muss ich früh in die Schule, die Party / erst am Samstag / mache / ich / deshalb / .

_____

5. Mein Bruder will seine eigene Party haben,   er / nächste Woche / feiert / deshalb / .

_____

6 Vorbereitungen für eine Party

a Schreib die Wörter mit Artikel und Plural.

1 *der Teller, –*

2

3

4

5

6

7

b Schreib die Wörter.

_____   _____   _____   _____

c Was? Wie viel? Ergänze die Sätze.

1. Ich hätte gern 200 *Gramm* Salami und 300 _____ Gouda-Käse.

2. ● Kannst du noch vier F_____ Mineralwasser kaufen?

   ■ 1-_____-Flaschen oder 1,5-_____-Flaschen?

3. ● Ich hätte gerne ein Brot.

   ■ Wie groß? 500 _____ oder ein _____ ?

♪ 44   **d** Phonetik – Hör zu und markiere die Wortakzente: lang _ oder kurz ••.

1. Er lebt in Berlin.

2. Am nächsten Mittwoch.

3. Die Party fängt abends an.

4. Ich habe viele Gäste.

5. Einen Teller mit Käse und ein Glas Tee, bitte.

6. Wir hatten echt viel Spaß.

7. Wie war das Essen?

45   **e** Schneller sprechen – Hör noch einmal und sprich nach.

7 Über eine Party erzählen

a Ergänze die Sätze mit den Ausdrücken.

hatte viel Spaß – hatte … total Stress – war richtig gut drauf – waren bis 9 Uhr weg

1. Meine Mutter war sauer und deshalb _____ ich _____ .

2. Theas Party war klasse, ich _____ .

3. Theas Eltern sind cool. Sie _____ und wir

   hatten die Wohnung allein.

4. Thea _____ . Sie war total glücklich.

b Ergänze die Tabelle.

	sein		haben	
	Präsens	Präteritum	Präsens	Präteritum
ich	*bin*			
du				
er/es/sie/man				
wir				
ihr				
sie/Sie				

c Ergänze *sein* oder *haben* im Präsens oder Präteritum.

1. Ich *hatte* gestern Geburtstag. Ich _____ jetzt 14 Jahre alt.

2. Meine Mutter kocht gerne. Ihr Essen _____ immer gut. Gestern _____ es super!

3. Ich _____ jetzt auch ein Handy. Im Media-Shop _____ gestern das „sPhone" sehr billig.

4. ● _____ Rike bald Geburtstag?

   ■ Nein, sie _____ schon vor zwei Wochen Geburtstag.

5. ● _____ ihr gestern im Kino?

   ■ Nein, wir _____ keine Zeit. Wir _____ Besuch.

8 Was war gestern, vorgestern, letzte Woche …?

a Schreib die Zeitangaben auf den Zeitstrahl.

heute – vorgestern – ~~letztes Jahr~~ – gestern – letzten Monat

1. *letztes Jahr*   2. _____   3. _____   4. _____   5. _____

b Schreib die Sätze mit *sein* oder *haben* im Präteritum.

1. letzte Woche / meine Freundin / krank / .

2. wir / keine Schule / letzten Mittwoch / .

3. in der Schweiz / ihr / letztes Jahr / ?

4. in Österreich / letztes Jahr / wir / .

9 Gestern …

Was war wann? Schreib fünf Sätze mit *sein/haben* im Präteritum über dich.

Gestern … – Letztes Wochenende … – Letzte Woche … – Letzten Monat …– Letztes Jahr – Vor … Jahren …

Leseecke und Hörstudio

46 **a** Lies und ordne den Dialog. Hör zur Kontrolle.

b Wo passen die Bilder?

 Gestern war ich in der Schule.

 Na und, ich auch.

● Ich weiß, aber ich war in der Nacht in der Schule.

■ Du warst in der Nacht in der Schule? Warum?

■ Ja.

● Und, was hab ich für eine Note?

■ Du hattest erst eine 5, aber dann hattest du eine 2.

● Super! Äh – was heißt „hattest"? Und „dann"?

● Nur ich und die Katze.

■ Die Katze?

● Sie war schwarz und groß und sie hatte grüne Augen. Sie war im Lehrerzimmer.

■ Und?

● Die Katze kann sprechen.

■ Aha, die Katze kann sprechen.

● Ja, sie kann sprechen.

■ Und was sagt sie?

● Sie hatte gestern Geburtstag. Sie war früher Mathelehrerin.

■ Und, wie alt ist sie jetzt?

● 111 Jahre. Sie wohnt in der Schule und nachts korrigiert sie Mathearbeiten für die Mathelehrer.

● Auch unsere?

● Ich hatte eine Idee.

■ Aha, du hattest eine Idee. Welche?

● Nachts ist die Schule schön.

■ Warum?

● Keine Lehrer! Kein Unterricht, nur Ruhe!

■ War noch jemand da?

■ Dann war da mein Wecker, „Drrrrrrrrrrrrrrrrrr", und meine Mutter: „Timo, aufwachen, 6 Uhr!", und mein Vater: „Timo, aufstehen!"

c Das kannst du noch machen: Spielt den Dialog zu zweit. – Wie sieht die Mathe-Katze aus? Zeichne sie. – Schreib den Dialog zwischen Timo und der Katze.

Meine Ecke

a Buchstabensuppe – Mit den Buchstaben kannst du Wörter aus Einheit 12 bauen. Wie viele findest du? Verwende jeden Buchstaben nur **einmal**.

 Brot

b Mach selbst ein Buchstabenrätsel. Tauscht in der Klasse.

Mach die Übungen. Kontrolliere im Schlüssel auf Seite 79 und kreuze an:

☺ das kann ich gut   ☺ das kann ich einigermaßen   ☹ das muss ich noch üben.

1 Jemanden einladen   Ordne die Sätze und schreib den Einladungstext.

Ich möchte dich zur Party einladen.

Lieber Ulf,

Jan

Liebe Grüße

Sie beginnt um 17 Uhr und ist um 22 Uhr zu Ende.

Die Geburtstagsparty ist am Samstag.

ich habe nächsten Mittwoch Geburtstag.

2 Glückwünsche aussprechen   Schreib die zwei Glückwünsche.

zum Geburtstag!

zum Geburtstag!

Alles Gute

Herzlichen

Glückwunsch

1. _____

2. _____

3 Eine Party planen   Schreib die Wörter zu den Bildern.

1. _____ 2. _____ 3. _____ 4. _____ 5. _____ 6. _____
_____ _____ _____ _____ _____ _____

47 **4** Über eine Party sprechen   Hör zu und kreuze an: richtig R oder falsch F ?

1. Emily spricht mit Jonas.   R F   4. Das Essen war nicht gut.   R F
2. Emily erzählt von der Party.   R F   5. Die Musik war sehr gut.   R F
3. Emily war total glücklich.   R F   6. Emily liebt Spiele.   R F

5 Über die Vergangenheit sprechen   Schreib die Sätze in der Vergangenheit.

1. letzte Woche / in Basel / sein / ich / .   *Letzte Woche* _____

2. letztes Jahr / sein / wir / in Berlin / .   _____

3. gestern / haben / Geburtstag / Mika / .   _____

4. toll / die Party / sein / .   _____

5. letzte Woche / Grippe / haben / mein Bruder / . _____

Seite 43

· Alles Liebe! . . . .

· Viel Glück und Spaß . . . .
  im nächsten Jahr!

· Alles Gute zum Geburtstag! . . . .

· Herzlichen Glückwunsch . . . .
  zum Geburtstag! . . . .

· Mach weiter so! . . . .

Seite 44

nächst- . . . .

· am nächsten Samstag . . . .

der/die Verwandte, -n . . . .

das Geschenk, -e . . . .

das Ding, -e . . . .

der Gast, "-e . . . .

die Geburtstagsparty, -s . . . .

außerdem . . . .

der Geburtstagskuchen, – . . . .

die Kerze, -n . . . .

Seite 45

wecken . . . .

wach . . . .

aufgeregt . . . .

das Wohnzimmer, – . . . .

hübsch . . . .

verpacken . . . .

*aus*packen, packt … *aus* . . . .

die Geduld, (nur Sg.) . . . .

duschen . . . .

frühstücken . . . .

deshalb . . . .

sonst . . . .

ungesund . . . .

sogar . . . .

gratulieren . . . .

schenken . . . .

der Fotoapparat, -e . . . .

*vor*bereiten, bereitet … *vor* . . . .

das Getränk, -e . . . .

das Geschirr (kein Plural) . . . .

der Salat, -e . . . .

· die beste Freundin . . . .

· der beste Freund . . . .

klug . . . .

Seite 46

bleiben . . . .

· Ich bleibe lange im Bett. . . . .

Was für ein/eine/ . . . .
einen/ – …?

· Was für ein Fest . . . .
  machst du?

sparen . . . .

Seite 47

der Teller, – . . . .

das Messer, – . . . .

das Glas, "-er . . . .

die Gabel, -n . . . .

das Gramm (g) . . . .

· Ich möchte 200 g Käse. . . . .

das Kilogramm (kg) . . . .

· Ich möchte ein Kilo . . . .
  Kartoffeln.

die Limonade, -n . . . .

die Packung, -en . . . .

das Lied, -er . . . .

*mit*bringen, bringt … *mit* . . . .

Seite 48

gestern . . . .

sauer . . . .

der Stress (nur Sg.) . . . .

· Ich hatte Stress. . . . .

gut/schlecht drauf sein . . . .

· Alle waren gut drauf! . . . .

weg sein . . . .

Seite 49

vorgestern . . . .

letzten Monat . . . .

letztes Jahr . . . .

krank . . . .

die Grippe (nur Sg.) . . . .

der Streit (nur Sg.) . . . .

vermissen . . . .

Alles Gute zum Geburtstag Smarta.

Das ist lieb, Smarti. Vielen Dank!

*Unser Tipp:
Glückwünsche als ganze Sätze lernen.*

1 Eine Stadtführung: Mainz

Ergänze die Wörter.

Schloss – modern – Hochhäuser – Hochhäuser – Dom – Kirche – Fenster – Schiff –baden – Seite – weit – Brücke – Fluss

Chagall-Fenster
in der Stephanskirche

Mainzer Dom

Mainzer Schloss

Theodor-Heuss-
Brücke

Ich heiße Lilli und meine Stadt heißt Mainz. Von Mainz nach Frankfurt ist es

nicht _____ , nur 40 km. Frankfurt ist _____

und hat viele _____ , Mainz hat wenige

_____ , aber viele historische Häuser: einen

_____ , ein _____ und viele Kirchen.

Der Dom ist sehr groß und sehr berühmt. Wir haben auch eine besondere

_____ , die Stephanskirche, mit Fenstern von Marc Chagall.

Chagall war ein berühmter Künstler. Die _____ sind sehr schön. Mainz hat auch

einen _____ . Er heißt Rhein. Auf dem Rhein kann man mit dem _____

fahren und im Sommer kann man auch _____ . Auf der anderen _____

vom Rhein ist eine andere Stadt: Wiesbaden. Man kann zu Fuß über die _____ nach

Wiesbaden gehen.

2 Blick aus dem Fenster

a Welche Wörter sind das? Schreib die Wörter mit Artikel und Plural.

gerb – toua –– taserß – brikaf – bsu – asuh – slufs

der Berg, die Berge, das ...

48 **b** Hör die Wörter und markiere den Wortakzent: lang oder kurz?

c Schreib die Sätze ins Heft.
1. keine Kirchen, / Bei uns / viele Moscheen / gibt es / aber / .
2. nicht / so groß, / Unsere Stadt / ist / aber / ist / sehr schön / sie / .
3. gibt es / viele / Autos, / In unserer Stadt / deshalb / kann /
   mit dem Fahrrad / nicht gut / fahren. / man
4. klein, / ist / Unsere Stadt / gibt / wenig / deshalb / es / Busse / .

Bei uns gibt es ...

3 Phonetik: Ich-Laut und Ach-Laut

49 a Sortiere und hör zur Kontrolle.

~~sprechen~~ – die Sprache – das Buch – die Bücher – der Koch – die Köchin – die Woche –
das Mädchen – brauchen – der Automechaniker – freundlich

Ich-Laut: *sprechen* _____

Ach-Laut: _____

50 b Kirche oder Kirsche? – Hörst du *ch* oder *sch*? Hör zu und ergänze.

1. Isst du gerne
   Kir_____en oder
   Kir_____en?

2. Natürlich
   Kir_____en!

3. I_____ esse ni_____t gerne Fi_____.
4. Nä_____ste Woche _____reiben wir den
   Ge_____i_____tstest.

c Hör noch einmal und sprich nach.

4 Wohnorte: Ein Schüler erzählt.

Was passt zusammen? Schreib den Text ins Heft.

Ich wohne in Frankfurt.
Das ist unser Haus.

1. Wir wohnen
2. Das 2. Fenster von links
3. Hier in Frankfurt ist immer
4. Ich gehe gerne
5. Meine Schule ist
6. Ich brauche morgens
7. Zuerst muss ich
8. Dann nehme ich
9. Im Bus

a) 15 Minuten zur Schule.
b) 5 Minuten zu Fuß zur Haltestelle gehen.
c) den Bus.
d) im 3. Stock.
e) in der Nähe.
f) ist mein Zimmer.
g) shoppen oder ins Kino.
h) treffe ich meistens meine Freunde.
i) was los.

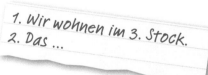

1. Wir wohnen im 3. Stock.
2. Das ...

5 Mein Schulweg

Schreib einen Text über deine Stadt.
Wo wohnst du? Wie kommst du zur Schule? ...

6 Fremd in der Stadt

a Wie muss man gehen? Schreib einen Satz zu jeder Zeichnung.

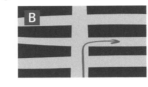 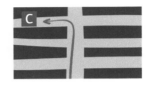

Wie muss ich gehen?

Geh _____

_____   _____

_____   _____

die – die – zweite – dritte – Straße – Straße – geradeaus – links – rechts – ~~geh~~ – geh – geh

b Wo ist das Café? Schreib einen Satz zu jeder Zeichnung. Es gibt mehrere Möglichkeiten.

der – der – der – der – der – ~~ist~~ – ist – ist – auf – auf – auf – neben – neben –linken – linken – rechten – Seite – Seite – Seite – Post – Post

Wo ist das Café.

Das Café *ist* _____   Das Café _____   Das Café _____

_____   _____   _____

_____   _____   _____

c Stadtgeräusche – Du hörst sechs Geräusche. Wo ist das? Hör zu und ordne zu.

- [ ] in der Kirche
- [ ] auf der Straße
- [ ] in der Nähe von einem Krankenhaus
- [ ] in der Schule
- [ ] im Bahnhof
- [ ] in einem Supermarkt
- [ ] im Theater
- [ ] in einer U-Bahn-Station
- [ ] im Restaurant
- [ ] im Schwimmbad
- [ ] am Fluss

7 Hören üben: betonte Wörter

Hör zu, sprich nach und markiere die betonten Wörter oder Wortteile.

● Wie komme ich zum Schwimmbad?

■ Du gehst die erste Straße rechts. Dann gehst du die zweite Straße links und dann immer geradeaus. Dann kommst du zum Schwimmbad.

8 Wie komme ich zum Bahnhof?

a Ergänze die Kurzformen.

bei dem ⇨ *beim*   von dem ⇨ _____   zu dem ⇨ _____   zu der ⇨ _____

b Ergänze *zur* oder *zum*.

1. Entschuldigung, ich möchte _____ Rathaus.   2. Meine Mutter fährt mit dem Auto _____ Arbeit.

3. Wie komme ich _____ Stephanskirche?   4. Mein Zahn tut weh. Ich muss _____ Zahnarzt.

5. Um wie viel Uhr gehst du _____ Schule?   6. Ich gehe _____ Training. Kommst du mit?

c Ergänze die Artikel der Nomen und dann die Dativformen in den Sätzen 1–8.

die Schule _____ Familie _____ Schiff _____ Geburtstag _____ Schweiz
_____ Wochenende _____ Bahnhof

1. Morgen müssen wir nicht **zur** Schule gehen, morgen ist schulfrei.

2. Tina fährt mit d____ Familie nach Norwegen. Sie fahren mit d____ Schiff.

3. Ich bekomme z____ Geburtstag viel Geld, mindestens 200 €.

4. Woher kommt Laura? – Sie kommt aus d____ Schweiz.

6. Nach d____ Schule muss ich erst Hausaufgaben machen.

7. Seit d____ Wochenende bin ich so müde.

8. Die Apotheke ist in der Nähe v____ Bahnhof.

d Schreib den Dialog ins Heft und hör zur Kontrolle.

53

Also die erste rechts, dann immer geradeaus.

Ja, genau, du brauchst ungefähr 5 Minuten.

Das ist ganz einfach. Geh die erste Straße rechts und dann immer geradeaus. Dann kommst du direkt zur Post.

Danke schön.

Bitte.

Entschuldigung, ich suche die Post.

9 Ein Wochenende in Frankfurt

Ergänze die Wörter.

zum Schluss – dann – deshalb – da – da oben – aber – zuerst

Schüler-Blog   **+Kommentar**   **Suchen**   ⇨ **Startseite**

Eine Woche in Deutschland

Seit gestern sind wir in Frankfurt. Frankfurt ist cool.

Wir haben _____ einen Stadtrundgang gemacht, Kultur

(Goethehaus, Rathaus und Dom und so) und _____ waren wir

shoppen. Alina und Celine haben natürlich stundenlang eingekauft.

Mädchen! _____ war ich mit Chris im Media-Shop.

_____ habe ich ein Handy mit einer 20-MP-Kamera gesehen.

_____ waren wir abends auf dem

Maintower, 198 m hoch (siehe Foto)! _____ haben wir zu

Abend gegessen, in einem tollen Restaurant. Das war sehr lecker,

_____ auch sehr teuer. Morgen sind wir in Hamburg und am Freitag

fahren wir nach Berlin!

10 Über die Vergangenheit sprechen

a Wiederholung: Präteritum und Präsens von *sein* und *haben*. Ergänze die Sätze.

1. Heute _____ wir viel Zeit.

   Gestern _____ wir keine Zeit.

2. Gestern _____ du kein Geld.

   _____ du heute Geld?

3. Jetzt _____ wir in Frankfurt.

   Letzte Woche _____ wir in Hamburg.

4. Wo _____ ihr gestern Abend?

   Und wo _____ ihr heute?

5. Vor dem Essen _____ wir Hunger.

   Jetzt _____ wir satt.

6. Letztes Jahr _____ Fred in Kenia.

   Jetzt _____ er in Namibia.

7. Letzten Monat _____ wir kein Kunst. Jetzt _____ wir wieder Kunst.

8. 2014 _____ Deutschland Fußballweltmeister. 2018 …

b Ergänze das Partizip.

machen _____*gemacht*_____   essen _____   kaufen _____

sehen _____   verlieren _____

c Perfekt – Ergänze *haben* und das Partizip aus 10b.

Neue Mail   ⇨ **Senden**

Liebe Oma, lieber Opa,

wie geht es euch? Uns geht es gut. Heute haben wir eine Stadtbesichtigung ge_____ .

Wir _____ viel _____ , den Dom, das Rathaus und das Goethehaus.

Mittags _____ wir „Grüne Soße" _____ , das ist eine Frankfurter

Spezialität. Ich finde sie gut, Celine findet sie furchtbar und Chris _____ natürlich eine

Pizza _____ . Er isst immer Pizza. Wie langweilig!

---

11 Verloren und gefunden

Schreib die Fragen ins Heft. Beantworte die Fragen für dich.

1. schon / Warst / du / in Frankfurt / ?
2. Hast / Geld / verloren / du / schon einmal / ?
3. Was / gefunden / hast / schon einmal / du / ?
4. Quark / du / schon einmal / Hast / gegessen / ?
5. etwas / Hast / heute / du / gekauft / ?
6. hat / deine / Wer / Hausaufgaben / gemacht / ?
7. Hast / das PC-Spiel „Memoria" / gesehen / du / schon / ?

Warst du schon in Frankfurt?

– Ja, ich war schon in Frankfurt.

– Nein, ich war noch nicht in Frankfurt.

54 Hörstudio
Wie kommt Laura zu ihren Freunden? Zeichne den Weg in das Labyrinth.

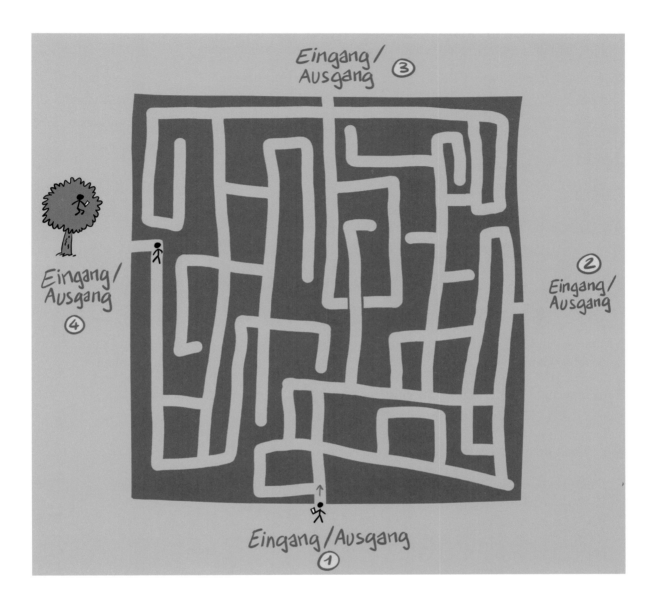

Meine Ecke

a Kennst du die Wörter?

1. **LEHALSTELTE** _____

2. **CHEKIR** _____

3. **HOFBAHN** _____

4. **AUSRAGEDE** _____

5. **MARKTPERSU** _____

6. **BESTADTGUNGTISICH** _____

b Mach selbst Worträtsel. Tauscht in der Klasse.

Mach die Übungen. Kontrolliere im Schlüssel auf Seite 80 und kreuze an:

☺ das kann ich gut ☺ das kann ich einigermaßen ☹ das muss ich noch üben.

1 Über eine Stadt sprechen **Ergänze die Wörter.**

es gibt – es gibt – gibt es – sind – finde – es gibt – fahren – haben – mag

Meine Stadt ist sehr groß. Hier _____ viele Hochhäuser. Sie _____ sehr modern

und ich _____ sie interessant. Aber _____ auch eine historische Altstadt.

In meiner Stadt _____ viele Busse und wir _____ natürlich auch eine

U-Bahn. _____ auch einen Fluss und _____ Berge in der Nähe.

Ich _____ meine Stadt sehr.

2 Den Schulweg beschreiben **Schreib den Text.**

5 Minuten / Bus-   Freundin / treffen   10 Minuten   5 Minuten / zur
haltestelle / gehen   Bus / fahren   Schule / gehen

Katja braucht … bis zur Schule. Sie muss zuerst … . Dort … . Sie … . Zum Schluss …

3 Nach dem Weg fragen **Schreib die Fragen.**

Bahnhof? _____

Hauptstraße? _____

55 **4** Eine Wegbeschreibung verstehen
**Hör zu und zeichne den Supermarkt und den Weg
zum Supermarkt in den Stadtplan.**

Bahnhof

5 Über die Vergangenheit sprechen
Schreib die Sätze in der Vergangenheit.

1. sehen / Marie / gestern / in der Stadt / ein T-Shirt / . _____

2. verlieren / sie / letzte Woche / ihr Geld / . _____

3. kaufen / Deshalb / sie / gestern / nichts / . _____

Seite 51

der Fluss, "-e ....

die Brücke, -n ....

das Hochhaus, "-er ....

das Rathaus, "-er ....

die Kirche, -n ....

der Berg, -e ....

das Schiff, -e ....

das Museum, Museen ....

das Zentrum, Zentren ....

international ....

der Flughafen, "– ....

die Bank, -en ....

der Geburtsort, -e ....

der Dichter, – ....

geboren ....

hoch ....

· Das Hochhaus ist ....
  259 Meter hoch. ....

· die fünftgrößte Stadt ....

Seite 52

das Büro, -s ....

die Firma, Firmen ....

die Altstadt, "-e ....

modern ....

die Straßenbahn, -en ....

der Bus, -e ....

· mit dem Bus fahren ....

das Dorf, "-er ....

Seite 53

der Stock (nur Sg.) ....

· der erste Stock ....

die Haltestelle, -n ....

die Station, -en ....

die U-Bahn, -en ....

· mit der U-Bahn fahren ....

· zuerst … dann … ....
  zum Schluss ....

der Garten, "– ....

alleine ....

brauchen ....

· Ich brauche 20 Minuten zur Schule. ....

Seite 54

· Gehen Sie die erste/ ....
  zweite/dritte
  (Straße) links. ....

geradeaus

· Geh geradeaus und ....
  dann rechts. ....

die Ecke, -n ....

· an der Ecke ....

das Hotel, -s ....

· auf der linken/rechten Seite. ....

Seite 55

die Post (nur Sg.) ....

der Bahnhof, "-e ....

· in der Nähe von ....

der Zug ....

Seite 56

der Blick, -e ....

das Restaurant, -s ....

die Stadtbesichtigung, -en ....

der Kopfhörer, – ....

treffen, trifft, getroffen ....

die Hälfte, -n ....

die Katastrophe, -n ....

die Tüte, -n ....

verlieren, verliert, verloren ....

· Wir haben die Tüte ....
  verloren. ....

Seite 57

finden, findet, gefunden ....

· Guck mal! ....

wirklich

die Chance, -n ....

das Glück (nur Sg.) ....

· Glück haben ....

das Eis ....

Mein Tipp:
Verben immer mit Perfekt lernen.
lesen, sie liest, sie hat gelesen
verlieren, er verliert, er hat verloren

Mein Tipp:
Präpositionen immer in Ausdrücken lernen:
in der Nähe, zum Bahnhof, ins Kino
über die Brücke, am Fluss

1 Ferien machen – Kreuzworträtsel

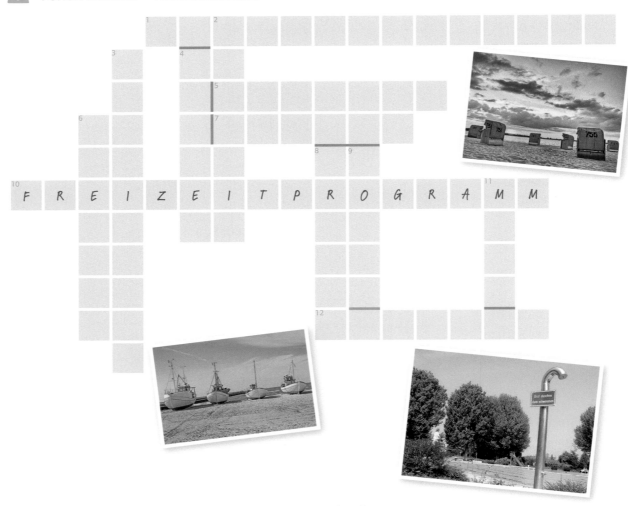

Waagerecht:
1. Hier kann man billig übernachten.
5. Das andere Meer zu Nr. 4
7. Ihre Ferien verbringen viele Deutsche am … in Spanien.
10. Im Ferienkurs kann man gut lernen und es gibt auch ein …
12. Österreich ist als Reiseland sehr … bei den Deutschen.

Senkrecht:
2. Das Gegenteil zu teuer. So ähnlich wie billig.
3. Ich liebe Wasser. Ich gehe jede Woche ins …
4. Deutschland hat zwei Meere: die … und die Nr. 5.
6. Ich kann nicht wegfahren. Ich muss zu Hause …
8. Der … ist für viele Menschen die beste Zeit im Jahr.
9. Das wollen alle im Sommer.
11. Die Nordsee ist eines und der Atlantik auch.

2 Interviews: Was machst du in den Ferien?

56–57 **a Hör zu und korrigiere die Sätze.**

Interview 1
1. Er fährt im Juli weg.
2. Die Familie fliegt mit dem Flugzeug.
3. Sie übernachten in einer Jugendherberge.

1. Er fährt im August weg.

Interview 2
1. Sie übernachtet im Hotel.
2. Ihre Freundin kann bestimmt mitfahren.
3. Sie wandert sehr gerne.

b Was passt? Ergänze die Sätze. Es gibt mehrere Möglichkeiten.

Berlin – auf dem Campingplatz – dem Fahrrad – meinen Freund – Freunde – Freunden – den Großeltern – meine Großeltern – zu Hause – im Hotel – in der Jugendherberge – ~~Spanien~~ – meine Tante – dem Zug – dem Bus

1. Ich fahre nach   *Spanien /* _____

2. Ich fahre zu   _____

3. Ich besuche   _____

4. Ich fahre mit   _____

5. Ich übernachte   _____

6. Ich bleibe   _____

3   Reisegepäck

a Was ist im Koffer und auf dem Bett? Schreib die Nomen mit Artikel und Pluralform.

8 *der Koffer, –*

58   **b** Viel Gepäck – Hör zu, was will Franziska alles mitnehmen? Markiere in 3a.

59   **c** Fantasiereise – Liga, Anna, Ingrida, Janis und Karlis leben in Lettland, in Riga. Das ist ihr Reiseplan. Hör zu und markiere die Reise in der Karte.

d Hör noch einmal. Wo sind die Jugendlichen wann? Was kostet die Übernachtung?

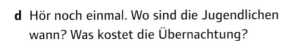

1. Tag Heidelberg, 22 Euro.

2. Tag …

4 Deutschlernen in den Ferien

Lies die E-Mail von Ilka an ihre Eltern. Kreuze bei 1–6 an: richtig $\boxed{\text{R}}$ **oder falsch** $\boxed{\text{F}}$ **?**

1. Ilka muss nicht viel machen. $\boxed{\text{R}}$ $\boxed{\text{F}}$
2. Sie steht um 7 Uhr 30 auf. $\boxed{\text{R}}$ $\boxed{\text{F}}$
3. Morgens ist immer Unterricht. $\boxed{\text{R}}$ $\boxed{\text{F}}$

4. Nachmittags ist jeden Tag Unterricht. $\boxed{\text{R}}$ $\boxed{\text{F}}$
5. Man macht auch Ausflüge. $\boxed{\text{R}}$ $\boxed{\text{F}}$
6. Abends spielen alle zusammen. $\boxed{\text{R}}$ $\boxed{\text{F}}$

Neue Mail   ⇨ **Senden**

Liebe Mama, lieber Papa,

jetzt bin ich schon fast eine Woche in Bremen. Ich habe schon viel
Deutsch gelernt. Deshalb hier eine E-Mail auf Deutsch für euch. Es
ist toll hier. Man muss viel lernen, aber es macht unheimlich Spaß.
Leider müssen wir früh aufstehen. Schon um halb acht. Um Viertel
nach acht gibt es Frühstück. Das Frühstück ist echt gut. Obst und
Marmelade, aber auch Käse (na ja, muss nicht sein!) und Orangen-
saft und Müsli.

Von 9 bis halb eins ist dann Unterricht. Aber das ist total locker.
Nicht wie in der Schule. Wir machen viele Projekt und Spiele und
haben echt Spaß. Um halb eins ist Mittagessen. Das war schon gut und nicht so gut und danach ist Unterricht oder
wir machen Ausflüge. Nach dem Abendessen (gut!) machen wir dann ein Abendprogramm. Man kann aber auch mal
einfach chillen und einen Film ansehen (auf Deutsch natürlich).
Also, ich finde es super hier. Ist bei euch alles o.k.?
Gruß (auch an Malle)

Ilka

PS: Auf dem Foto sind die Bremer Stadtmusikanten.

---

5 Debatte – Pro und kontra Hausaufgaben

Schreib die Sätze. Welche sind pro Hausaufgaben und welche kontra? Vergleicht in der Klasse.

1. _pro___ zu Hause / muss / üben / man / .   _Man muss_____
2. _____ die Hausaufgaben / können / oft nicht /
   kontrollieren / die Lehrer / . _____
3. _____ Freizeit / nach der Schule / brauchen / wir / . _____
4. _____ beim Lernen / die Hausaufgaben / helfen / . _____
5. _____ wichtig / ist / sehr / wiederholen / . _____
6. _____ Fehler / man / zu viele / macht / . _____

---

6 Der Tagesausflug – Kurstagebuch

Im Text sind 8 Fehler (4x groß/klein, 4x Doppelkonsonant (ll, pp …). Markiere und korrigiere.

Wir haben am Mi~~tt~~woch eine fahrt nach Stuttgart gemacht. Da haben wir das Mercedes-Benz-Muse-
um gesehen. Das war tol. Dan haben wir eine Stadtrallye gemacht. Die aufgaben waren ganz schön
schwer. Unsere Grupe hat immer Deutsche gefragt, aber wir haben die antwort nicht verstanden. das
war lustig.

♪ 60 **7** Phonetik: *ng*

Diese Wörter gibt es nicht. Aber: Ist das *ng* richtig gesprochen oder hörst du ein *g*?

Kreuze an: [R] (richtig): Ich höre kein „g", [F] (falsch): Ich höre ein „g".

1. kangen   [R] [F]   2. longen   [R] [F]   3. mingen   [R] [F]

4. dengen   [R] [F]   5. schungen   [R] [F]   6. nangen   [R] [F]

8 Positionsveränderung oder nicht: *sein* oder *haben*

a Schreib die Verben zu den Bildern.

1. l*aufen*_____   2. g_____   3. f_____   4. k_____   5. f_____

b Perfekt mit *haben* oder mit *sein*? Ergänze die richtige Form.

Gestern war ein Pechtag. Ich bin zu spät aufgestan-

den. Dann ___*habe*___ ich schnell gefrühstückt,

ich _____ nur Milch getrunken und nichts

gegessen. Keine Zeit!

Um Viertel nach sieben _____ ich mit Marie zur

Bushaltestelle gegangen. Wir _____ viel ge-

sprochen und _____ zuerst langsam gegangen.

Der Bus _____ gekommen, wir _____ ihn

gesehen und _____ schnell gelaufen, aber er _____ uns vor der Nase weggefahren.

Dann _____ wir zu Fuß zur Schule gegangen und ich _____ ein Brötchen gekauft,

denn ich hatte Hunger. Natürlich _____ wir zu spät zur Schule gekommen und hatten Stress.

c *Haben* oder *sein*? Ergänze die Perfektformen.

gehen – schreiben – sprechen – fliegen – kommen – lesen

1. Meine Eltern ___*sind*__ gestern mit dem Flugzeug in die USA _____ .

2. Gestern Abend _____ Ralf und Alina ins Kino _____.

3. _____ du Tante Sabine schon eine E-Mail zum Geburtstag _____?

4. _____ du die neue „GIRL" schon _____?

5. Ralf _____ in der Pause mit Alina _____.

6. Wann _____ du gestern nach Hause _____?

9 Hören üben

61 **Hör die Sätze. Ein Wort fehlt in jedem Satz. Ergänze das Wort.**

1. *geflogen*_____   2. _____   3. _____   4. _____

5. _____   6. _____   7. _____   8. _____

10 Was hast du vorgestern gemacht?

Schreib die Geschichte in der Vergangenheit.

> *Nicht vergessen:*
> **sein** und **haben** immer im
> *Präteritum. Alle anderen*
> *Verben im Perfekt.*

1. sein: Tim / im letzten Jahr / in der Schweiz / .

2. fahren: er / alleine / mit dem Zug / .

3. verlieren: er / im Zug / sein Geld / .

4. suchen: er / sein Portemonnaie / überall / .

5. kommen: dann / der Kontrolleur / .

6. haben: Tim / keine Fahrkarte und kein Geld / .

7. helfen: der Kontrolleur / Tim / .

8. finden: schließlich / sie / das Portemonnaie / .

der Kontrolleur

der Geldbeutel

Tim war

---

11 Ferienpostkarten

a Ergänze die Postkarte.

Lieber Chris, li__ __ __ Katia,
wir si__ __ seit gestern Nachm__ __ __ __ __ in Hamburg.
Ges__ __ __ __ hat es gere__ __ __ __ und wir wa__ __ __
zuerst total tra__ __ __ __. Aber dann si__ __ wir in den Zoo
geg__ __ __ __ __. D__ __ war toll. He__ __ __ scheint die So__ __ __.
Wir sind sc__ __ __ um 8 U__ __ aufgestanden und si__ __ seit 9 U__ __
unterwegs. Zuerst ha__ __ __ wir ei__ __ Hafenrundfahrt gemacht.
Da__ __ sind wir z__ __ Michel gegangen.
D__ __ Blick auf Ham__ __ __ __ und den Ha__ __ __ war super.
Je__ __ __ sitzen wir a__ __ dem Fischmarkt u__ __ essen zu Mit__ __ __.
Liebe Gr__ __ __
Merle & Zelika

b Ordne und schreib die Postkarte.

Nach dem Mittagessen machen wir eine Fahrt auf der Elbe. –
Merle – Heute Morgen haben wir die Frauenkirche besichtigt. –
Wir sind gestern um acht Uhr abends mit dem Zug hier angekommen.
heute sind wir in Dresden. – Liebe Grüße – ~~Liebe Mama,~~

Liebe Mama,

heute ...

Leseecke

Lies die Anzeigen. Zu jedem Text gibt es 3 Aufgaben. Markiere die richtige Antwort mit einem Kreuz.

1. Das ist eine Anzeige für

☐ Familienurlaub.

☐ einen Sprachkurs.

☐ Urlaub für junge Leute.

2. Man kann

☐ Tennis spielen.

☐ reiten.

☐ baden.

3. Wer kann dort Ferien machen?

☐ Kinder bis 13.

☐ Gruppen von ca. 20 Jugendlichen.

☐ 14-jährige Jugendliche.

Endlich ohne Eltern

Für Jugendliche von 13 bis 21 Jahren
Inselurlaub auf der Insel Obonjan
in Mitteldalmatien
Partys, Strand und Sonne
Viele Sportmöglichkeiten
(Beachvolleyball, Segeln, Surfen
und natürlich Schwimmen)
Schlafsack und Isomatte
mitbringen

1. Hier kann man in den Ferien

☐ reiten lernen.

☐ Sprachen lernen.

☐ schwimmen.

2. Wann?

☐ Im Sommer.

☐ Im Winter.

☐ Im Sommer und im Winter.

3. Wer?

☐ Nur Familien.

☐ Nur Mädchen.

☐ Jungen und Mädchen.

Ferien auf dem Reiterhof

von April bis September
Jungen und Mädchen, ab 12 Jahren, auch ohne Eltern
Du magst Pferde? 35 Islandponys warten auf dich.

- Ruhige und liebe Ponys
  für Anfänger
- Coole Bergtouren
  mit Pferden für
  Fortgeschrittene
- Übernachtung im Haus,
  im Matratzenlager

Meine Ecke

a Buchstabenchaos – Kannst du die Sätze lesen? Ordne die Bilder zu.

Blad snid Smoemrfreien: kniee Schlue, kinee Huasagfabuen, nur chlieln.

Im Jnui snid userne Perfungün, dheaslb mesüsn wir jdeen Tag veil lneern.

b Mach selbst einen Buchstabenchaos-Satz wie im Beispiel. In jedem Wort steht der erste und der
letzte Buchstabe an der richtigen Stelle. Tauscht in der Klasse.

Mach die Übungen. Kontrolliere im Schlüssel auf Seite 80 und kreuze an:
☺ das kann ich gut   ☻ das kann ich einigermaßen   ☹ das muss ich noch üben.

1 Über Ferienpläne sprechen   **Ergänze das Fragewort und ordne die Antwort zu.**

~~Wann~~ – Wer – Wie lange – Wo – Wohin – Was – Wie

1. *Wann* _____ fährst du weg?	a) Meine Eltern und meine Schwester.
2. _____ fährst du weg?	b) Schwimmen, chillen, Rom ansehen.
3. _____ fahrt ihr? An die Ostsee?	c) Auf dem Campingplatz.
4. _____ übernachtet ihr?	d) Drei Wochen.
5. _____ macht ihr?	e) Nein, nach Italien.
6. _____ fährt mit?	f) Mit dem Auto.
7. _____ fahrt ihr nach Italien?	g) Im August.

Beantworte die Fragen 1–6 für dich.

2 Pro- und Kontra-Argumente verstehen   **Hör zu und kreuze an.**
Wer ist pro, wer kontra?

62 Diskussionsthema: Mit der Familie in die Ferien fahren?

Sabrina:	Dennis:	Jens:
☐ pro	☐ pro	☐ pro
☐ kontra	☐ kontra	☐ kontra

3 Über die Vergangenheit sprechen   **Schreib die Sätze mit Vergangenheitsformen.**

machen / am letzten Wochenende / wir / eine Fahrradtour / .

Am letzten Wochenende haben wir _____

fahren / wir / 100 km von Ulm nach Donauwörth / .

_____

sehen / wir / viel / .

_____

machen / mittags / wir / in Günzburg / eine Pause / .

_____

Ulm

kommen / wir / erst abends um 10 Uhr / nach Donauwörth / .

_____

sein / ich / total müde / .

_____

Donauwörth

Seite 59

die Jugendherberge, -n . . . .

das Hostel, -s . . . .

günstig . . . .

übernachten . . . .

der Urlaub (nur Sg.) . . . .

· Ich mache Urlaub. . . . .

· Ich fahre in Urlaub. . . . .

die Sonne, -n . . . .

das Meer, -e . . . .

· Ich fahre ans Meer. . . . .

der Strand, "-e . . . .

die Kultur (nur Sg.) . . . .

erleben . . . .

die Gegend, -en . . . .

vielfältig . . . .

bieten, bietet, hat geboten . . . .

der Kurs, -e . . . .

bleiben, bleibt, ...

   ist geblieben . . . .

Seite 60

reisen, reist, ist gereist . . . .

die Reise, -n . . . .

die Ostsee . . . .

die Nordsee . . . .

die Alpen (nur Pl.) . . . .

beliebt . . . .

wegfahren, fährt … weg, ...

   ist weggefahren . . . .

genauso . . . .

besuchen, besucht, ...

   hat besucht . . . .

Seite 61

die Zahnbürste, -n . . . .

die Tasche, -n . . . .

die Badehose, -n . . . .

die Socke, -n . . . .

der Kamm, "-e . . . .

mitnehmen, nimmt … mit, ...

   hat mitgenommen

· Ich nehme einen Mantel mit.

anschauen, schaut … an, ...

hat angeschaut

der Zoo, -s . . . .

das Flugzeug, -e . . . .

der Campingplatz, "-e . . . .

der Koffer, – . . . .

Seite 62

der Ausflug, "-e . . . .

anmelden, meldet … an, ...

hat angemeldet

ganz gut . . . .

zu viel / zu wenig . . . .

Seite 63

inzwischen . . . .

passieren, passiert, ...

   ist passiert . . . .

· Es ist viel passiert. . . . .

der Park, -s . . . .

besichtigen, besichtigt, ...

   hat besichtigt . . . .

gewinnen, gewinnt, ...

   hat gewonnen . . . .

singen, singt, hat gesungen . . . .

Seite 64

fliegen, fliegt, ist geflogen . . . .

Seite 65

unterwegs . . . .

vorher . . . .

Wohin fahren wir im Sommer?

*Wir fahren **nach** Österreich, **in die** Berge, **ans** Meer, **an den** See, **aufs** Land oder wir bleiben einfach **zu** Hause.*

Präpositionen und Orte

in die Disco, **in die** Schule

ins Kino, **ins** Schwimmbad

zu Hannah, **zu** Freunden

zum Fußball, **zum** Schulfest

zur Post

Grammatik wiederholen

E8 | Mein Zuhause

a Omas Zimmer – Was ist richtig? Markiere wie im Beispiel.

1. An/Auf/In der Wand über/neben/auf dem Regal sitzt/steht/hängt ein Bild.

2. Eine Lampe hängt/liegt/steht auf/an/in dem Regal vor/hinter/neben den Büchern.

3. Ein Sessel ist blau und hängt/liegt/steht auf/an/in links neben/auf/zwischen dem Tisch.

4. Der Teppich hängt/liegt/steht auf/an/in dem Boden.

5. Der Tisch hängt/liegt/steht vor/hinter/zwischen den Sesseln.

6. Eine Lampe hängt/liegt/steht auf/an/in dem Boden rechts neben/zwischen/an dem Sessel.

7. Das Telefon hängt/liegt/steht auf/über/vor dem Tisch.

8. Vor/Hinter/Zwischen den Sesseln und dem Tisch hängt/liegt/steht das Bücherregal.

b Modalverb *müssen* – Ergänze die richtigen Formen.

● Hallo.

■ Hallo, Petra. Hier Tina. Ich gehe mit Sandra shoppen. Sie _muss_ ein Geschenk für ihre Schwester kaufen. Kommst du mit?

● Tut mir leid. Das geht nicht.

■ _____ du noch Hausaufgaben machen?

● Nein, aber ich _____ mein Zimmer aufräumen und dann _____ wir zu meiner Oma fahren.

■ Ich verstehe. Dann bis morgen. Tschüs!

● Tschüs und viel Spaß.

c Streit – Ergänze die Imperativformen.

Karin: Du hast noch mein Buch. _____ (stellen) es bitte wieder ins Regal!

Maike: Und du hast mein T-Shirt. _____ (legen) es in meinen Schrank!

Vater: Kinder, _____ _____ (aufhören)! Und _____ (machen) die Musik leiser!

Mutter: Und _____ euer Zimmer _____ (aufräumen)!

E9 | Das schmeckt gut

a Was ist richtig? *Ja, Nein* oder *Doch*? Markiere.

1. ● Möchtest du einen Apfel?   ■ Ja, / Nein, / Doch,   gerne. Danke!

2. ● Magst du keinen Fisch?   ■ Ja, / Nein, / Doch,   ich esse nie Fisch.

3. ● Magst du keinen Kuchen?   ■ Ja, / Nein, / Doch,   sehr, aber nicht zum Frühstück.

b Was isst Maike *gern, lieber, am liebsten, nicht so gern* zum Frühstück? Schreib den Text.

Maike isst ... Aber noch .... Am ... Wurst. ...

E10 | Meine Freizeit

a Modalverb *wollen* – Ergänze die richtigen Formen.

Jan: _____ wir schwimmen gehen?

Tobi: Schwimmen?

Jan: Ja, _____ du mitkommen?

Tobi: Ich habe keine Lust.

Jan: O.k. Dann gehe ich eben allein mit Chris und Julia.

Tobi: Was? Julia _____ auch mitkommen? Sag das doch gleich! Klar _____ ich!

b Wann? – *im am, um* – Ergänze.

Wann machst du deine nächste Geburtstagsparty?

Nächstes Jahr _____ Frühling, _____ Mai, _____ Samstag, _____ Nachmittag, _____ fünf Uhr.

c Ergänze *nicht* oder *kein/keine*.

● Sascha, Daniel und ich machen eine Radtour.
   Willst du auch mitmachen?

■ Radtour? Das geht _____ .

● Hast du _____ Lust?

■ Doch, schon, aber …

● Was denn? _____ Zeit?

■ Nein, das ist es auch _____ . Ich habe zurzeit _____ Fahrrad.

● _____ Problem! Du kannst mein altes Fahrrad nehmen.

E11 | Das sieht gut aus

Ergänze die Personalpronomen im Akkusativ.

● Wie findest du meinen Pullover?

■ Ich finde ihn normal.

● Und der Ohrring … Wie findest du _____ ?

■ Supercool!

● Und die Jeans?

■ Ich finde _____ sehr modisch. Findest du mein

T-Shirt gut oder findest du _____ zu langweilig?

● Das T-Shirt ist o.k. Aber deine Schuhe, ich weiß nicht …

Ich finde _____ total uncool!

E12 | Partys

a Schreib die Sätze mit *deshalb* ins Heft.

1. Geburtstag, / habe / ich / deshalb / eine Party / mache / ich / .

_____

2. in Mathe / Sara / nicht so gut, / ist / deshalb / sie / mehr / lernen / muss / .

_____

b Ergänze die richtigen Formen von *sein* und *haben* im Präteritum.

● Wo _____ du gestern? _____ du keine Zeit?

■ Ich _____ zu Hause. Ich _____ Bauchschmerzen. _____ ihr im Kino?

● Ja. Der Film _____ richtig gut. Wir _____ echt Spaß.

E13 | Meine Stadt

a Präpositionen und Artikel – Ergänze den Dialog.

in der – mit dem – zum – zum – bis zur

● Entschuldigung, wie komme ich _____ Technik-Museum _____ Mozartstraße?

■ Das ist ein bisschen weit. Da fährst du lieber hier _____ Bus, _____ Blumenstraße.

Das sind drei Stationen. Von da musst du noch fünf Minuten _____ Museum laufen.

b Verben-Chaos – Schreib den Text richtig im Heft.

Gestern habe ich Colin verloren. Er hat ein T-Shirt von COOL für mich
gesehen. Dann haben wir den Film „Lovers" im Kino gekauft.
Es war superromantisch, aber ich habe das T-Shirt im Kino getroffen.
Colin mag sauer und ist weggegangen. Ich war COOL nicht mehr!

Gestern habe ich
Colin getroffen.

E14 | Ferien

a Perfekt mit *haben* oder *sein*? Schreib die Sätze in die Tabelle.

1. zehn Kilometer gelaufen.
2. ein Eis gegessen
3. ins Museum gegangen
4. für den Mathetest gelernt
5. eine Mail geschrieben
6. drei Gläser Milch getrunken
7. nach Mallorca geflogen
8. eine Stunde Tennis gespielt
9. zu meiner Freundin gefahren
10. spät nach Hause gekommen

Ich habe am Wochenende ...	Ich bin am Wochenende ...
ein Eis gegessen.	

Ich bin am Wochenende zu Smarta geflogen.

b Das Perfekt-Kreuzworträtsel

1. Schreib das Perfekt zu diesen Verben.

gehen	trinken	fahren	sehen	essen
ist gegangen				
lernen	spielen	machen	hören	kommen

63   2. Bine und Mila sprechen über Bines Ferien. Hör zu. Manchmal hörst du „ding". Dann musst du im Kreuzworträtsel ein Verb im Partizip ergänzen.

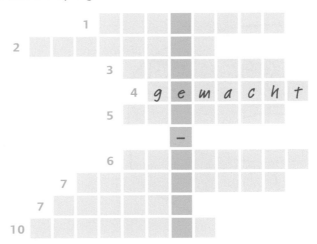

Das Lösungswort ist ein Glückwunsch: _____

Wortschatz trainieren

a Räum auf! Schreib die Wörter auf die Schreibzeilen. Brauchst du Hilfe?
Lies die Wörter im Kasten unten.

b Silbenrätsel – Finde die Wörter zu 1–8.

die Decke

Bluse – Decke – Pflanze – Gabel – Würstchen –
Pullover – Käse – Socken (Pl.) – Strümpfe (Pl.) –
Mantel – Hose – Boden – Papierkorb –
Flasche – Messer – Schreibtisch – Lampe –
Löffel – Tasse – Teller – Brötchen – Jacke

1. Ich wohne in einem … im 25. Stock.

2. Im … kann man in einen Zug einsteigen.

3. Ich möchte über Nr. 5 gehen. Dann gehe ich über eine …

4. Vom Frankfurter … kann man in die ganze Welt fliegen.

5. Der Rhein und der Main sind zwei … in Deutschland.

6. Ich nehme den Bus Nr. 20. Die … ist gleich hier an der Ecke.

7. Wir haben ein Haus mit … Meine Eltern lieben Pflanzen.

8. Am Sonntag kochen wir nicht. Wie gehen zum Mittagessen in ein …

le Flüs se tau
Res haus Hoch
rant stel Flug ha
Bahn hof ten
Hal Gar Brü cke
te fen

Wie fit bist du?

Teste dein Hörverstehen

Teil 1

Du hörst drei Nachrichten am Telefon.

Hör jede Nachricht zweimal. Markiere die richtigen Lösungen.

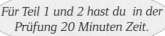

Für Teil 1 und 2 hast du in der Prüfung 20 Minuten Zeit.

64 **1.**

A Wann kommt der Zug?

a Der Zug kommt 15 Minuten später.

b Der Zug kommt 30 Minuten später.

c Der Zug kommt 60 Minuten später.

B Was essen die Kinder?

a Für die Kinder gibt es Suppe.

b Die Kinder müssen einkaufen gehen.

c Oma bringt Suppe mit.

65 **2.**

A Wohin geht Dani?

a Ins Eiscafé.

b In die Eisdisco.

c Ins Kino.

B Was hat Corri?

a Ihr Bauch tut weh.

b Ihr Bein tut weh.

c Ihr Kopf tut weh.

66 **3.**

A Die Jugendlichen …

a gehen jetzt ins Café.

b sind schon im Café.

c möchten um 17 Uhr ins Café gehen.

B Bis wann bleiben sie im Café?

a Bis 7 Uhr.

b Bis 17 Uhr.

c Bis 5 Uhr.

Teil 2

Du hörst jetzt zwei Gespräche. Hör jedes Gespräch zweimal.

Markiere die richtigen Lösungen mit einem Kreuz: richtig R oder falsch F .

67 Lies jetzt die Sätze 1–3 und hör dann das Gespräch 1.

Gespräch 1

1. Der Weg zur Bibliothek ist 10 Minuten zu Fuß.   R F

2. Die Haltestelle ist genau vor der Bibliothek.   R F

3. Die Bibliothek ist in der Nähe vom Luisepark.   R F

68 Lies die Sätze 4–6 und hör dann das Gespräch 2.

Gespräch 2

4. Marc macht am Samstag eine Party.   R F

5. Die Party dauert von 5 Uhr bis 11 Uhr abends.   R F

6. Marc bringt Musik mit.   R F

Teste dein Leseverstehen

Teil 1

Lies die zwei Anzeigen. Zu jedem Text gibt es drei Aufgaben.

Markiere die richtigen Aussagen mit einem Kreuz.

> Für Teil 1 und 2 hast du in der Prüfung 20 Minuten Zeit.

An alle Mathefreunde in Frankfurt-Eckenheim

Ich gehe in die 8. Klasse und verstehe Mathe nicht. Wer kann Nachhilfe für 8.50 Euro pro Stunde geben?

Ruf mich an unter 069-7821278 oder schick mir eine E-Mail: stefan_haas@gmx.de

1. Stefan …

a   sucht Freunde in Frankfurt-Eckenheim.

b   braucht Nachhilfe in Mathe.

c   möchte Nachhilfe in Mathe geben.

2. Stefan …

a   hat Spaß an Mathe.

b   hat keine Zeit für Mathe.

c   hat Probleme mit Mathe.

3. Stefan …

a   möchte 8 Euro 50 für eine Stunde Mathe bezahlen.

b   braucht nur eine Stunde Nachhilfe in Mathe.

c   bekommt 8,50 Euro pro Nachhilfestunde.

Die Welt auf zwei Rädern

Dein Fahrrad fährt nicht mehr?
Kein Problem!
Wir reparieren es schnell und billig!

Du hast kein Fahrrad?
Auch kein Problem!
Hier kannst du ein neues kaufen oder für ein paar Stunden oder Tage leihen.

Du findest uns in der Eifelstr. 17 in Aachen.
Öffnungszeiten: Mo–Fr von 9 bis 18 Uhr, Sa bis 16 Uhr.

4. Im Geschäft „Die Welt auf zwei Rädern" …

a   repariert man kaputte Fahrräder.

b   kauft man alte Fahrräder.

c   verkauft man alte Fahrräder.

5. Im Geschäft „Die Welt auf zwei Rädern" …

a   repariert man dein Fahrrad in ein paar Stunden.

b   repariert man dein Fahrrad in ein paar Tagen.

c   repariert man dein Fahrrad schnell.

6. Das Geschäft „Die Welt auf zwei Rädern" …

a   ist am Wochenende zu.

b   ist am Wochenende bis 16 Uhr auf.

c   macht von Montag bis Samstag um 9 Uhr auf.

Teil 2

Im Internet findest du zwei Texte von Jugendlichen aus Deutschland. Lies die Texte.
Aufgabe 1 bis 6: Was ist richtig R ? Was ist falsch F ?

Text 1

Wir sind Michael und Sebastian Kunze. Wir sind Ge-
schwister. Wir wohnen in Berlin. Michael ist 13 Jahre alt
und ich bin 14. Unser Hobby ist Schwimmen. Im Sommer
schwimmen wir im See. Wir lieben den Wannsee. Im
Winter gehen wir ins Schwimmbad. Das Hallenbad in
Lankwitz ist toll und nicht so teuer. Meistens kommen
unsere Freunde auch mit. Das macht Spaß!

1. Michael und Sebastian sind Brüder. R F
2. Im Sommer gehen sie oft ins Schwimmbad. R F
3. Sie schwimmen immer zusammen mit ihren Freunden. R F

Text 2

Hi! Wir heißen Melanie und Sonja. Wir gehen in die 8c in der
Albertus-Magnus-Schule in Köln. Unser Lieblingsfach ist
Mathe, denn Herr Baum, unser Mathelehrer, ist spitze! Nach
den Hausaufgaben treffen wir uns fast jeden Tag gegen 16
Uhr zum Radfahren, Shoppen oder einfach nur zum Musik-
hören und Chillen.

4. Melanie und Sonja sind in einer Klasse. R F
5. Sie finden Mathe toll. R F
6. Sie treffen sich jeden Tag gleich nach dem Mittagessen. R F

Wie gut kannst du schreiben?

Holger hat dir eine E-Mail geschrieben.
Antworte darauf mit mindestens 30 Wörtern.

Du hast 20 Minuten Zeit.

Neue Mail ⇨ **Senden**

Hallo aus Rügen!

Hier ist es toll. Sonne, Meer und Strand und immer etwas los: Schwimmen, Beachvolleyball ☺, Disco! Das Essen ist auch super. Ich liebe Fisch, aber es gibt
auch Pizza. Morgen machen wir eine Radtour.

Und du? Was machst du? Bist du zu Hause oder auch weg? Ich bin am Wochenende wieder zu Hause. Wir kommen am Samstag zurück. Hast du am Sonntag
Zeit?

Tschüs

Holger

VERBEN IM PRÄSENS

Modalverben: *müssen* und *wollen*

Infinitiv		müssen	wollen				müssen	wollen
Singular	ich	muss	will	Plural	wir		müssen	wollen
	du	musst	willst		ihr		müsst	wollt
	er/es/sie/man	muss	will		sie/Sie		müssen	wollen

	Position 2		Ende
	Wollen	wir ins Schwimmbad	gehen?
Nein, ich	will	lieber ins Kino	gehen.
Nein, ich	muss	mein Zimmer	aufräumen.

Imperativ

Infinitiv	du-Form	ihr-Form	Sie-Form
machen	Mach schnell!	Macht schnell!	Machen Sie schnell!
sprechen	Sprich leise!	Sprecht leise!	Sprechen Sie leise!
aufräumen	Räum auf!	Räumt auf!	Räumen Sie auf!

fahren: fahr – fahrt – fahren Sie   sein: seid – seien Sie

Position 2: Verbteil 1		Ende: Verbteil 2
Räum	bitte dein Zimmer	auf.
Schreibt	die Beispiele ins Heft.	
Sprechen	Sie bitte langsamer.	

VERBEN IN DER VERGANGENHEIT

Präteritum von *sein* und *haben*

Singular	ich	war	hatte	Gestern war ich nicht in der Schule.
	du	warst	hattest	Ich hatte Grippe.
	er/es/sie/man	war	hatte	
Plural	wir	waren	hatten	Im Juli hatten wir Ferien.
	ihr	wart	hattet	Wir waren in der Schweiz.
	sie/Sie	waren	hatten	

Von *sein* und *haben* benutzt man in der Vergangenheit fast immer das Präteritum.

Partizip – regelmäßige Formen

	Infinitiv	Partizip	
einfach	kaufen	gekauft	er/sie hat gekauft
	machen	gemacht	er/sie hat gemacht
trennbar	*ein*kaufen	*ein*gekauft	er/sie hat *ein*gekauft
	*auf*machen	*auf*gemacht	er/sie hat *auf*gemacht

Ebenso:
*an*schauen, *auf*räumen, *aus*packen, *aus*räumen, *aus*suchen, *aus*wählen, chillen, dauern, duschen, feiern, frühstücken, gucken, halten, hängen, *hin*stellen, legen, mähen, mailen, *mit*arbeiten, *mit*machen, ordnen, passen, planen, reisen, schauen, schenken, schicken, schmecken, sparen, wecken, wünschen, *zu*machen, *zusammen*passen, …

Partizip – unregelmäßige Formen

Unregelmäßige Verbformen immer so lernen:

bleiben
er bleibt
er ist geblieben
Er ist zu Hause geblieben.

aufstehen
sie steht auf
sie ist aufgestanden
Sie ist um 11 Uhr aufgestanden.

Infinitiv	3. Person Singular	Partizip
*an*fangen	er/sie fängt *an*	er/sie hat *an*gefangen
*auf*stehen	er/sie steht *auf*	er/sie ist *auf*gestanden
bleiben	er/sie bleibt	er/sie ist geblieben
*ein*laden	er/sie lädt *ein*	er/sie hat *ein*geladen
essen	er/sie isst	er/sie hat gegessen

Infinitiv	3. Person Singular	Partizip
fahren	er/sie fährt	er/sie ist gefahren
finden	er/sie findet	er/sie hat gefunden
fliegen	er/sie fliegt	er/sie ist geflogen
geben	er/sie gibt	er/sie hat gegeben
gehen	er/sie geht	er/sie ist gegangen
kennen	er/sie kennt	er/sie hat gekannt
kommen	er/sie kommt	er/sie ist gekommen
laufen	er/sie läuft	er/sie ist gelaufen
lesen	er/sie liest	er/sie hat gelesen
liegen	er/sie liegt	er/sie hat gelegen
*mit*bringen	er/sie bringt *mit*	er/sie hat *mit*gebracht
reiten	er/sie reitet	er/sie ist geritten
rufen	er/sie ruft	er/sie hat gerufen
scheinen	er/sie scheint	er/sie hat geschienen
schlafen	er/sie schläft	er/sie hat geschlafen
schließen	er/sie schließt	er/sie hat geschlossen
schreiben	er/sie schreibt	er/sie hat geschrieben
schwimmen	er/sie schwimmt	er/sie ist geschwommen
sehen	er/sie sieht	er/sie hat gesehen
singen	er/sie singt	er/sie hat gesungen
sitzen	er/sie sitzt	er/sie hat gesessen
sprechen	er/sie spricht	er/sie hat gesprochen
tragen	er/sie trägt	er/sie hat getragen
treffen	er/sie trifft	er/sie hat getroffen
trinken	er/sie trinkt	er/sie hat getrunken
tun	er/sie tut	er/sie hat getan
waschen	er/sie wäscht	er/sie hat gewaschen

Perfekt: Satzklammer

	Position 2: *haben/sein* (konjugiert)		Ende: Partizip
Ich	habe	in Frankfurt Sportschuhe	gekauft.
Wir	sind	ins Museum	gegangen.
Lea	hat	ein Kleid	gesehen.
	Habt	ihr eine Stadtrundfahrt	gemacht?

Perfekt mit *haben* oder *sein*

Die meisten Verben bilden das Perfekt mit *haben*.

Ich habe Sachertorte gegessen.
Wir haben eine Reise gemacht.

Verben mit Positionsveränderung bilden das Perfekt mit *sein*.

Ich bin nach Wien gefahren.
Er ist nicht nach Hause gekommen.

Hier sind einige Verben mit *sein*:

aufstehen, fahren, fliegen, gehen, kommen, laufen, reiten, schwimmen, wegfahren ...

Die Verben *passieren*, *bleiben* und *sein* bilden das Perfekt auch mit *sein*.

Zeitangaben der Vergangenheit

| letztes Jahr im letzten Jahr | letzten Monat im letzten Monat | letzte Woche in der letzten Woche | vorgestern | gestern | heute |

Letztes Jahr haben wir in Österreich Urlaub gemacht.
Letzten Monat bin ich in die Schweiz gefahren.
Letzte Woche war ich krank.
Gestern hatte ich Training.
Heute bin ich müde.

ARTIKEL – NOMEN – PRONOMEN

Nominativ, Akkusativ und Dativ

	Nominativ	Akkusativ	Dativ
Singular	**der** Mann	**den** Mann	dem Mann
	das Kind	**das** Kind	dem Kind
	die Frau	**die** Frau	der Frau
Plural	**die** Männer / Frauen / Kinder	**die** Männer / Frauen / Kinder	den Männern / Frauen / Kindern

Zur Schule fahre ich zuerst mit dem Bus und dann mit der Straßenbahn.
Manchmal fahre ich auch mit dem Fahrrad.

Nullartikel

Für Stoffnamen (kein Plural) benutzt man im Singular keinen Artikel. Man nennt das „Nullartikel".

	Singular
das Fleisch (kein Plural)	Magst du gerne – Fleisch?
der Käse (kein Plural)	Ich esse gerne – Käse.

> Ebenso: Brot, Fisch, Gemüse, Obst, Käse, Wurst, Quark, Jogurt …

Auch: Geld, Zeit, Lust

> *Ich habe schon Lust auf Kino, aber kein Geld und keine Zeit.*

Pluralformen

Die Nomen mit der Endung *-e* bilden den Plural mit *-n*.
das Aug**e**, die Aug**en** – die Jack**e**, die Jack**en**

Nomen mit den Endungen *-er* oder *-el* haben fast nie eine Pluralendung.
der Lehrer, die Lehrer – der Mantel, die Mäntel – der Zettel, die Zettel

Pronomen: *man*

Bei *man* steht das Verb in der 3. Person Singular.

Wie schreibt man das?
Was kann man am Wochenende in Frankfurt machen?
In Deutschland isst man gerne Kartoffeln.

Personalpronomen im Akkusativ

ich	du	er	es	sie	wir	ihr	sie/Sie
mich	dich	ihn	es	sie	uns	euch	sie/Sie

der Pullover	Wie findest du **den** Pullover?	Ich finde **ihn** langweilig.
das T-Shirt	Wie findest du **das** T-Shirt?	Ich finde **es** süß.
die Jacke	Wie findest du **die** Jacke?	Ich finde **sie** zu eng.
die Schuhe	Wie findest du **die** Schuhe?	Ich finde **sie** cool.

> *Wie findest du meine Brille?*

> *Ich finde sie supercool!*

PRÄPOSITIONEN

Lokale Präpositionen mit Dativ (Frage: Wo?)

| vor | hinter | auf | unter | über | neben | zwischen | in | an |

Das Buch liegt …

auf **dem** Tisch
(der Tisch)

unter **dem** Bett
(das Bett)

neben **der** Lampe
(die Lampe)

zwischen **den** Stühlen
(die Stühle)

Die Verben *liegen*, *stehen*, *sitzen* haben immer eine Präposition + Dativ.
Das Buch liegt auf dem Tisch. Der Junge sitzt auf dem Bett. Die Lampe steht auf dem Boden.

Temporale Präpositionen: *ab, am, gegen, im, um*

im	⇨	Monat/Jahreszeit	im Januar, im Winter
am	⇨	Wochentag/Tagesabschnitt	am Montag, am Vormittag ▯ in der Nacht
um	⇨	Uhrzeit	um acht Uhr
gegen	⇨	Uhrzeit	gegen acht Uhr
ab			ab drei Uhr, ab Mittwoch, ab Sommer

Präpositionen mit Dativ

*In **Vonseitnachzu** und **Ausbeimit** bleibt man mit dem Dativ fit.*

seit	Ich bin schon seit einer Woche in Frankfurt.
bei	Ich wohne bei der Tante.
aus	Meine Cousine kommt erst um 13 Uhr aus der Schule.
nach	Nach dem Frühstück gehe ich shoppen.
mit	Ich möchte mit der U-Bahn fahren.
zur	Wie komme ich zur U-Bahn?

bei dem	=	beim
von dem	=	vom
zu dem	=	zum
zu der	=	zur

Präposition *für* mit Akkusativ

| für | Das ist wichtig für mich. |

WORTBILDUNG

Zusammengesetzte Nomen

Der Wortakzent ist auf dem 1. Wort.
Das 2. Wort bestimmt den Artikel.

1. **das** Gem**ü**se + 2. **die** Pfanne =
die Gem**ü**sepfanne

DIE WÖRTER IM SATZ

Satzklammer

		Position 2		Ende
trennbare Verben	Ich	stehe	immer um sieben Uhr	auf.
Nomen-Verb-Verbindungen	Ich	fahre	gerne	Ski.
Modalverben	Smarta	kann	sehr gut	balancieren.
Perfekt	Wir	haben	gestern Sportschuhe	gekauft.

Verneinung mit *nicht* oder *kein*

ein ⇨ kein	Ich habe einen Computer / ein Handy / eine Zeitung. Ich habe **keinen** Computer / **kein** Handy / **keine** Zeitung.
kein bei Nullartikel	Ich habe **kein** Geld / **keine** Zeit / **keine** Lust. Ich esse **keinen** Käse, **kein** Fleisch und **keine** Wurst.
Sonst immer *nicht*	Ich schwimme gern. Ich schwimme **nicht** gern. Ich fahre gern Fahrrad. Ich fahre **nicht** gern Fahrrad. Ich spiele gut Tennis. Ich spiele **nicht** gut Tennis.

Satzverbindungen: *deshalb*

	Position 2		Ende:
Ich	muss	nicht	lernen.
Deshalb	kann	**ich** Computer	spielen.
Ich	kann	**deshalb** Computer	spielen.

doch

Frage	Isst du gerne Obst?	+ Ja, sehr gerne. – Nein, nicht so gerne.
	Isst du Fleisch?	+ Ja, gerne. – Nein.
Frage mit Negation	Isst du **nicht** gerne Obst?	+ **Doch**, ich esse gerne Obst. – Nein, ich esse nicht gerne Obst.
	Isst du **kein** Fleisch?	+ **Doch**. – Nein.

Was kann ich jetzt? – Lösungen und Lösungsbeispiele

 E8 | Mein Zimmer

 Ein Zimmer beschreiben

Links steht mein Bett und rechts mein Schrank. Im Schrank sind meine Kleider. Mein Schreibtisch steht unter dem Fenster. Auf dem Schreibtisch steht mein Laptop. Neben dem Schreibtisch steht mein Sessel.

 Über Tätigkeiten zu Hause sprechen

1. Ich muss oft meinen Schreibtisch aufräumen.
2. Ich muss fast nie das Zimmer sauber machen.
3. Ich muss jeden Tag mein Bett machen.

 Anweisungen geben

1. Sprecht bitte leise!
2. Wiederhole bitte den Satz!
3. Räum bitte auf!

 Eine Zimmerbeschreibung verstehen

Es passt Foto A.

 Gefühle benennen

1: aktiv – 2: müde – 3: traurig – 4: froh – 5: wütend – 6: romantisch

 **E9 | Das schmeckt gut**

 Sagen, was du morgens, mittags, abends isst.

1. Morgens zum Frühstück esse ich meistens <u>Brot</u>.
2. In der Pause esse ich zwei Brötchen mit <u>Butter</u> und <u>Käse</u>.
3. Mittags esse ich immer in der Kantine, da kann man <u>Gemüse</u> und <u>Fleisch</u> haben. Ich esse immer vegetarisch, ich esse kein Fleisch.
4. Trinkst du abends lieber <u>Milch</u> oder <u>Tee</u>? – Ich mag <u>keine Milch</u>, ich trinke immer Tee.

 Sagen, was du gerne isst.

Ich esse gerne Gemüse. / Gemüse esse ich gerne. / Gerne esse ich Gemüse. – Ich esse lieber Salat. / Salat esse ich lieber. / Lieber esse ich Salat. – Ich esse am liebsten Obst. / Obst esse ich am liebsten. / Am liebsten esse ich Obst. – Ich esse Fisch überhaupt nicht. / Fisch esse ich überhaupt nicht. / Überhaupt nicht esse ich Fisch.

 Über Spezialitäten sprechen

1. In Süddeutschland haben wir eine Spezialität.
2. Sie heißt „Maultaschen".
3. In den Maultaschen ist Fleisch und Gemüse.
4. Man isst sie gern zusammen mit Salat.
5. Ich finde, Maultaschen schmecken sehr gut.

 Bestellen

1c – 2a – 3d – 4b

 E10 | Meine Freizeit

 Über Freizeitaktivitäten sprechen

1. Mein Hobby ist die Musik.
2. Ich spiele in einer Band.
3. Ich spiele Gitarre und ich singe.
4. Wir üben zweimal pro Woche. / Zweimal pro Woche üben wir.
5. Samstags spielen wir oft bei Partys. / Wir spielen samstags oft bei Partys
6. Im Juli spielen wir beim Schulfest.

 Freizeitaktivitäten planen

1d – 2c – 3b – 4a

 Noten, Zeugnisse und Ferien vergleichen

1R – 2R – 3F

 Informationen finden

1D – 2A – 3B

 E11 | Das sieht gut aus!

 Über den Körper sprechen

links von oben nach unten: das Haar / die Haare, das Ohr / die Ohren, die Schulter / die Schultern, die Nase / die Nasen, der Mund / die Münder
rechts von oben nach unten: der Kopf / die Köpfe, die Hand, die Hände, das Bein, die Beine, der Finger / die Finger, der Fuß / die Füße

 Ausreden finden

Zum Beispiel:
links: Meine Hand tut weh. Ich kann leider nicht zum Basketball-Training kommen.
rechts: Mein Bauch tut weh. Ich kann leider nicht zum Essen kommen.

 Personen beschreiben

Zum Beispiel:
Der Junge trägt eine Kappe. Die Kappe ist schwarz. Er trägt auch eine Sonnenbrille. Sein T-Shirt ist grau. Er trägt eine Jeans und eine Uhr. (Er sieht cool aus.)

 Über Kleidung sprechen

2. ● Wie findest du den Pullover?
   ■ Ich finde ihn cool/schön/langweilig …
3. ● Wie findest du das Kleid?
   ■ Ich finde es cool/schön/langweilig …
4. ● Wie findet du die Schuhe?
   ■ Ich finde sie cool/schön/langweilig …

 Thema „Mode"

1R – 2F – 3F – 4R

 E12 | Partys

 Jemanden einladen

Lieber Ulf,
ich habe nächsten Mittwoch Geburtstag. Ich möchte dich zur Party einladen. Die Geburtstagsparty ist am Samstag. Sie beginnt um 17 Uhr und ist um 22 Uhr zu Ende.
Liebe Grüße
Jan

 Glückwünsche aussprechen

1. Ich wünsche dir viel Glück zum Geburtstag!
2. Herzlichen Glückwunsch zum Geburtstag!

 Eine Party planen

1. der Löffel, – 2. der Teller, – 3. das Messer, – 4. die Gabel, -n
5. der Salat, -e – 6. der Käse, (nur Sg.)

 Über eine Party sprechen

1F – 2R – 3F – 4R – 5R – 6F

5 Über die Vergangenheit sprechen

1. Letzte Woche war ich in Basel.
2. Letztes Jahr waren wir in Berlin.
3. Gestern hatte meine Schwester Geburtstag.
4. Wir hatten eine tolle Party.
5. Letzte Woche hatte mein Bruder Grippe.

 5 Über die Vergangenheit sprechen

1. Marie hat gestern in der Stadt ein T-Shirt gesehen. / Gestern hat Marie in der Stadt ein T-Shirt gesehen.
2. Letzte Woche hat sie ihr Geld verloren. / Sie hat letzte Woche ihr Geld verloren.
3. Deshalb hat sie gestern nichts gekauft. Sie deshalb gestern nichts gekauft.

E13 | Meine Stadt

1 Über eine Stadt sprechen

Meine Stadt ist sehr groß. Hier gibt es viele Hochhäuser. Sie sind sehr modern und ich finde sie interessant. Aber es gibt auch eine historische Altstadt. In meiner Stadt fahren viele Busse und wir haben natürlich auch eine U-Bahn. Es gibt auch einen Fluss und es gibt Berge in der Nähe. Ich mag meine Stadt sehr.

 2 Den Schulweg beschreiben

Katja braucht 20 Minuten bis zur Schule. Sie muss zuerst 5 Minuten zur Bushaltestelle gehen. Dort trifft sie ihre Freundin. Sie fahren 10 Minuten mit dem Bus. Zum Schluss gehen sie 5 Minuten bis zur Schule.

 3 Nach dem Weg fragen

Zum Beispiel:
1. Wie komme ich zum Bahnhof?

2. Können Sie mir bitte sagen, wie ich die Hauptstraße finde?

 4 Eine Wegbeschreibung verstehen

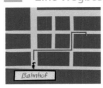

E14 | Ferien

1 Über Ferienpläne sprechen

1. Wann …? – g
2. Wie lange – d
3. Wohin … ? – e
4. Wo …? – c
5. Was … ? – b
6. Wer …? – a
7. Wie …? … f

2 Pro- und Kontra-Argumente verstehen

Sabrina: pro – Dennis: kontra – Jens: pro

3 Über die Vergangenheit sprechen

1. Am letzten Wochenende haben wir eine Fahrradtour gemacht.
2. Wir sind von Ulm nach Donauwörth gefahren.
3. Wir haben viel gesehen.
4. Mittags haben wir in Günzburg eine Pause gemacht.
5. Wir sind erst abends um 10 Uhr nach Donauwörth gekommen.
6. Ich war total müde.